원리셈

큰 수의 나눗셈

교과 과정 완벽 대비
수학 전문가가 만든 연산 교재
다양한 형태의 문제로 재미있게 연습하는 원리셈

지은이의 말

수학은 원리로부터

수학은 구체물의 관계를 숫자와 기호의 약속으로 나타내는 추상적인 학문입니다. 이 점이 아이들이 수학을 어려워하는 가장 큰 이유입니다. 이러한 수학은 제대로 된 이해를 동반할 때 비로소 힘을 발휘할 수 있습니다. 수학은 어느 단계에서나 원리가 가장 중요합니다.

수학 교육의 변화

답을 내는 방법만 알아도 되는 수학 교육의 시대는 지나고 있습니다. 연산도 한 가지 방법만 반복 연습하기 보다 다양한 풀이 방법이 중요합니다. 교과서는 왜 그렇게 해야 하는지 가르쳐 주고 다양한 방법을 생각하도록 하지만, 학생들은 단순하게 반복되는 연습에 원리는 잊어버리고 기계적으로 답을 내다보니 응용된 내용의 이해가 부족합니다.

연산 학습은 꾸준히

유초등 학습 단계에 따라 4권~6권의 구성으로 매일 10분씩 꾸준히 공부할 수 있습니다. 원리와 다양한 방법의 학습은 그림과 함께 재미있게, 연습은 다양하게 진행하되 마무리는 집중하여 진행하도록 했습니다. 부담 없는 하루 학습량으로 꾸준히 공부하다 보면 어느새 연산 실력이 부쩍 늘어난 것을 알 수 있습니다.

개정판 원리셈은

동영상 강의 확대/초등 고학년 원리 학습 과정 강화 등으로 교과 과정을 완벽하게 대비할 수 있도록 원리와 개념, 계산 방법을 학습합니다. 단계별 원리 학습은 물론이고 연습도 강화했습니다.

학부모님들의 연산 학습에 대한 고민이 원리셈으로 해결되었으면 하는 바람입니다.

지은이 천종현

원리셈의 특징

원리셈의 학습 구성

한 권의 책은 매일 10분 / 매주 5일 / 6주 학습

원리셈의 시나브로 강해지는 학습 알고리즘

초등 원리셈은

시작은 원리의 이해로부터, 마무리는 충분한 연습과 성취도 확인까지

체계적인 학습 구성

쉽게 이해하고 스스로 공부!
실수가 많은 부분은 별도로 확인하고 연습!
주제에 따라 실전을 위한 확장적 사고가 필요한 내용까지!
원리로 시작되는 단계별 학습으로 곱셈구구마저 저절로 외워진다고 느끼도록!

원리셈 전체 단계

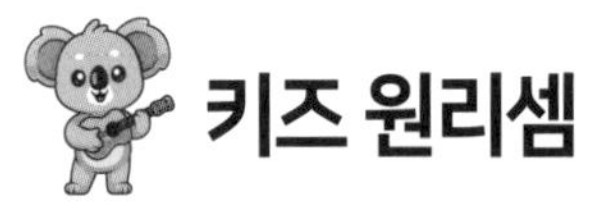

키즈 원리셈

5·6세	
1권	5까지의 수
2권	10까지의 수
3권	10까지의 수 세어 쓰기
4권	모아 세기
5권	빼어 세기
6권	크기 비교와 여러 가지 세기

6·7세	
1권	10까지의 더하기 빼기 1
2권	10까지의 더하기 빼기 2
3권	10까지의 더하기 빼기 3
4권	20까지의 더하기 빼기 1
5권	20까지의 더하기 빼기 2
6권	20까지의 더하기 빼기 3

7·8세	
1권	7까지의 모으기와 가르기
2권	9까지의 모으기와 가르기
3권	덧셈과 뺄셈
4권	10 가르기와 모으기
5권	10 만들어 더하기
6권	10 만들어 빼기

초등 원리셈

1학년	
1권	받아올림/내림 없는 두 자리 수 덧셈, 뺄셈
2권	덧셈구구
3권	뺄셈구구
4권	□ 구하기
5권	세 수의 덧셈과 뺄셈
6권	(두 자리 수)±(한 자리 수)

2학년	
1권	두 자리 수 덧셈
2권	두 자리 수 뺄셈
3권	세 수의 덧셈과 뺄셈
4권	곱셈
5권	곱셈구구
6권	나눗셈

3학년	
1권	세 자리 수의 덧셈과 뺄셈
2권	(두/세 자리 수)×(한 자리 수)
3권	(두/세 자리 수)×(두 자리 수)
4권	(두/세 자리 수)÷(한 자리 수)
5권	곱셈과 나눗셈의 관계
6권	분수

4학년	
1권	큰 수의 곱셈
2권	큰 수의 나눗셈
3권	분모가 같은 분수의 덧셈과 뺄셈
4권	소수의 덧셈과 뺄셈

5학년	
1권	혼합 계산
2권	약수와 배수
3권	분모가 다른 분수의 덧셈과 뺄셈
4권	분수와 소수의 곱셈

6학년	
1권	분수의 나눗셈
2권	소수의 나눗셈
3권	비와 비율
4권	비례식과 비례배분

초등 원리셈의 단계별 학습 목표

원리와 연습을 모두 잡는 원리셈!!

학년별 학습 목표와 다른 책에서는 만나기 힘든 특별한 내용을 확인해 보세요.

1학년 원리셈

모든 연산 과정 중 실수가 가장 많은 덧셈, 뺄셈의 집중 연습
여러 가지 계산 방법 알기
덧셈, 뺄셈의 관계를 이용한 '□ 구하기'의 이해

2학년 원리셈

두 자리 덧셈, 뺄셈의 여러 가지 계산 방법의 숙지와 이해
곱셈 개념을 폭넓게 이해하고, 곱셈구구를 힘들지 않게 외울 수 있는 구성
나눗셈은 3학년 교과의 내용이지만 곱셈구구를 외우는 것을 도우면서 곱셈구구의 범위에서 개념 위주 학습

3학년 원리셈

기본 연산은 정확한 이해와 충분한 연습
곱셈, 나눗셈의 관계를 이용한 '□ 구하기'의 이해
분수는 학생들이 어려워 하는 부분을 중점적으로 이해하고, 연습하도록 구성

4학년 원리셈

작은 수의 곱셈, 나눗셈 방법을 확장하여 이해하는 큰 수의 곱셈, 나눗셈
교과서에는 나오지 않는 실전적 연산을 포함
많이 틀리는 내용은 별도 집중학습

5학년 원리셈

연산은 개념과 유형에 따라 단계적으로 학습 후 충분한 연습
약수와 배수는 기본기를 단단하게 할 수 있는 체계적인 구성

6학년 원리셈

분수와 소수의 나눗셈은 원리를 단순화하여 이해
비의 개념을 확장하여 문장제 문제 등에서 만나는 비례 관계의 이해와 적용
비와 비례식은 중등 수학을 대비하는 의미도 포함. 강추 교재!!

4학년 구성과 특징

1, 2권은 자연수의 곱셈과 나눗셈을 마무리하는 책입니다. 큰 수의 곱셈과 나눗셈을 공부하면서 0이 많은 셈의 규칙을 살펴봅니다. 3권은 분모가 같은 분수의 덧셈과 뺄셈, 4권은 소수의 덧셈과 뺄셈은 원리를 이해하고, 충분한 연습을 하도록 했습니다.

원리

원리를 직관적으로 이해하고 쉽게 공부할 수 있도록 하였습니다.

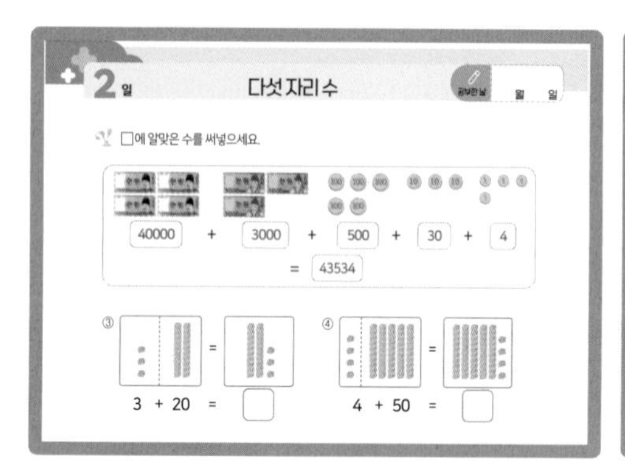

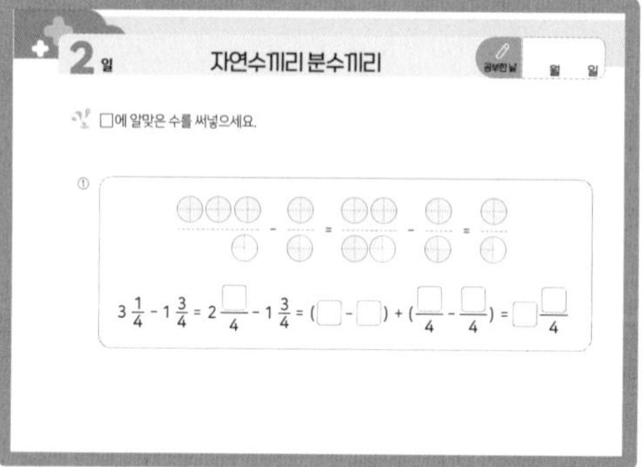

다양한 계산 방법

다양한 계산 방법을 공부함으로써 수를 다루는 감각을 키우고, 상황에 따라 더 정확하고 빠른 계산을 할 수 있도록 하였습니다.

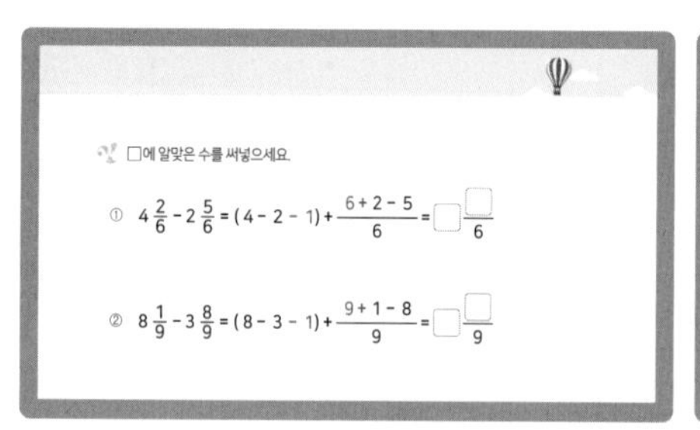

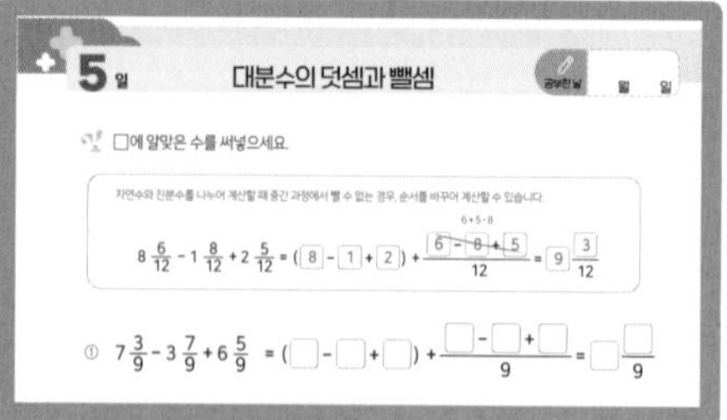

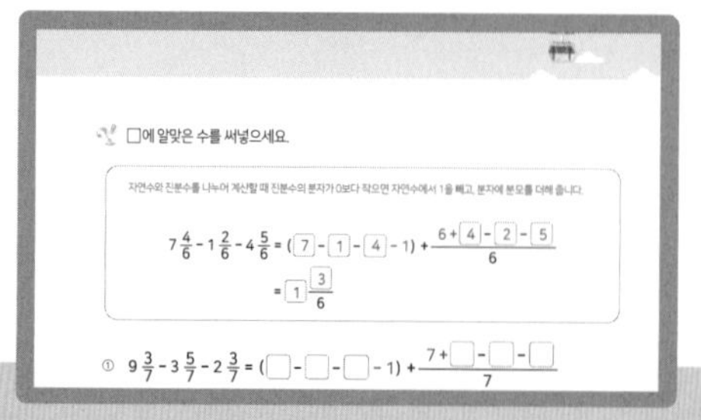

연습

기본 연습 문제를 중심으로 여러 형태의 문제로 지루하지 않게 반복하여 연습할 수 있도록 구성하였습니다.

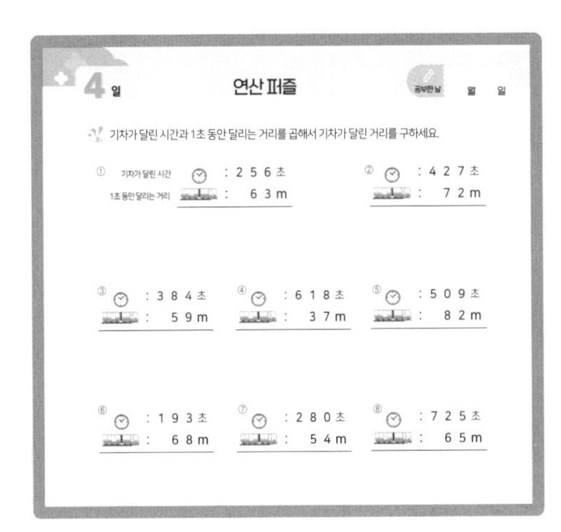

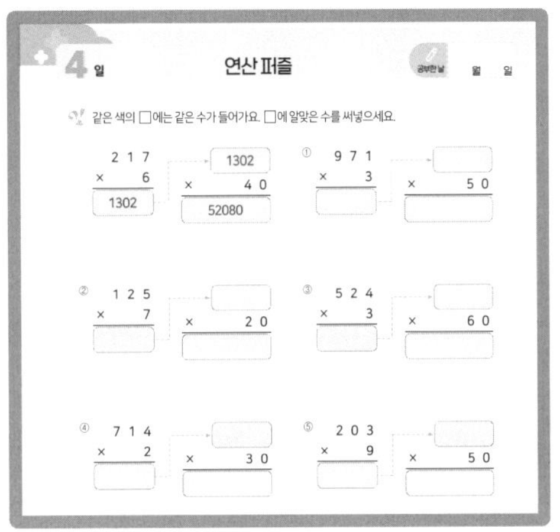

도전! 계산왕

주제가 구분되는 두 개의 단원은 정확성과 빠른 계산을 위한 집중 연습으로 주제를 마무리 합니다.

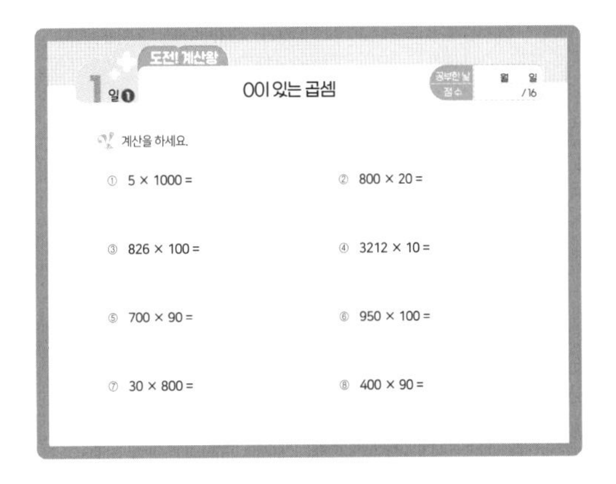

성취도 평가

개념의 이해와 연산의 수행에 부족한 부분은 없는지 성취도 평가를 통해 확인합니다.

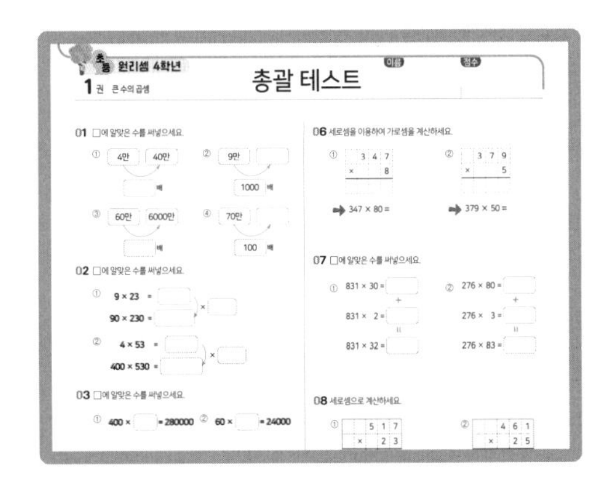

책의 사이사이에 학생의 학습을 돕기 위한 저자의 내용을 잘 이용하세요.

단원의 학습 내용과 방향

한 주차가 시작되는 쪽의 아래에 그 단원의 학습 내용과 어떤 방향으로 공부하는지를 설명해 놓았습니다.
학부모님이나 학생이 단원을 시작하기 전에 가볍게 읽어 보고 공부하도록 해 주세요.

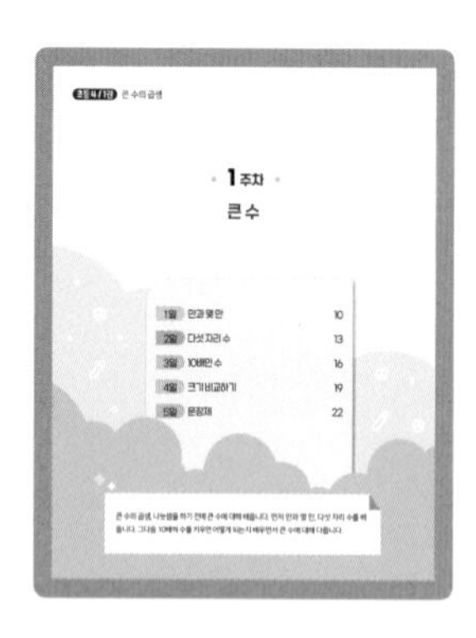

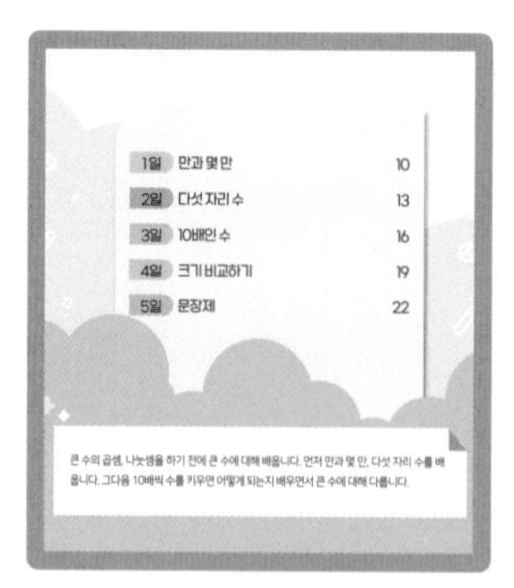

이해를 돕는 저자의 동영상 강의

처음 접하는 원리/개념과 연산 방법의 이해를 돕기 위한 동영상 강의가 있으니 이해가 어려운 내용은 QR코드를 이용하여 편리하게 동영상 강의를 보고, 공부하도록 하세요.

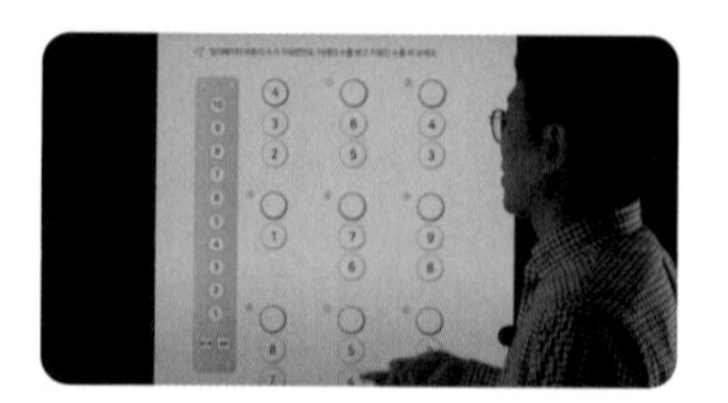

학습 Tip

간략한 도움글은 각 쪽의 아래에 있습니다.

천종현수학연구소 네이버 카페와 홈페이지를 활용하세요.

카페와 홈페이지에는 추가 문제 자료가 있고, 연산 외에서 수학 학습에 어려움을 상담 받을 수 있습니다.

네이버에서 천종현수학연구소를 검색하세요.

1주차

(두 자리 수)÷(두 자리 수)

두 자리 수와 세 자리 수의 나눗셈을 배우기 전에 몇십으로 나누기를 먼저 공부한 후 (두 자리 수)÷(두 자리 수)를 공부합니다. 세로셈이 반드시 필요한 단계는 아니지만 자리가 커질수록 세로셈이 편리하기 때문에 세로셈 위주로 연습할 수 있도록 구성하였습니다.

÷(몇십)

공부한 날 월 일

□에 알맞은 수를 써넣고, □가 있는 곱셈식을 나눗셈식으로 바꾸어 계산하세요.

$70 \times \boxed{6} = 420$

➡ $420 \div 70 = 6$

① $30 \times \square = 240$

➡ ______

② $50 \times \square = 450$

➡ ______

③ $90 \times \square = 630$

➡ ______

④ $60 \times \square = 540$

➡ ______

⑤ $80 \times \square = 640$

➡ ______

⑥ $70 \times \square = 490$

➡ ______

⑦ $50 \times \square = 400$

➡ ______

⑧ $80 \times \square = 720$

➡ ______

⑨ $20 \times \square = 180$

➡ ______

⑩ $40 \times \square = 240$

➡ ______

⑪ $30 \times \square = 270$

➡ ______

⑫ $70 \times \square = 350$

➡ ______

⑬ $20 \times \square = 100$

➡ ______

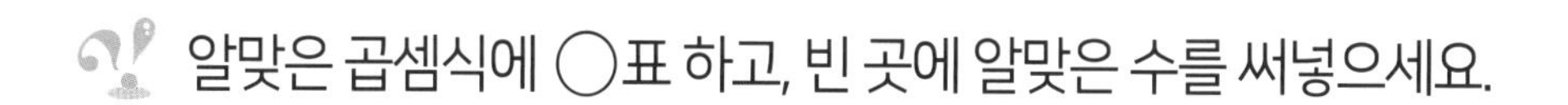

알맞은 곱셈식에 ◯표 하고, 빈 곳에 알맞은 수를 써넣으세요.

①

$30 \times 3 = 90$

$30 \times 4 = 120$

$30 \times 5 = 150$

$30 \times 6 = 180$

115개의 사탕을 상자에 30개씩 담으면 ________ 개의 상자를 채우고 사탕 ________ 개가 남습니다.

$115 \div 30 = \square \cdots \square$

②

$60 \times 6 = 360$

$60 \times 7 = 420$

$60 \times 8 = 480$

$60 \times 9 = 540$

500개의 사탕을 상자에 60개씩 담으면 ________ 개의 상자를 채우고 사탕 ________ 개가 남습니다.

$500 \div 60 = \square \cdots \square$

③

$80 \times 4 = 320$

$80 \times 5 = 400$

$80 \times 6 = 480$

$80 \times 7 = 560$

425개의 사탕을 상자에 80개씩 담으면 ________ 개의 상자를 채우고 사탕 ________ 개가 남습니다.

$425 \div 80 = \square \cdots \square$

④

$70 \times 5 = 350$

$70 \times 6 = 420$

$70 \times 7 = 490$

$70 \times 8 = 560$

380개의 사탕을 상자에 70개씩 담으면 ________ 개의 상자를 채우고 사탕 ________ 개가 남습니다.

$380 \div 70 = \square \cdots \square$

계산을 하세요.

(예시) $30 \overline{)94}$ → 몫 3, $94 - 90 = 4$

① $60 \overline{)412}$

② $20 \overline{)76}$

③ $20 \overline{)86}$

④ $90 \overline{)637}$

⑤ $40 \overline{)98}$

⑥ $50 \overline{)261}$

⑦ $30 \overline{)147}$

⑧ $80 \overline{)520}$

⑨ $70 \overline{)334}$

⑩ $30 \overline{)183}$

⑪ $50 \overline{)461}$

⑫ $60 \overline{)268}$

⑬ $90 \overline{)459}$

⑭ $70 \overline{)161}$

⑮ $90 \overline{)196}$

(두 자리 수)÷(두 자리 수) 1

공부한 날 월 일

나눗셈을 하는 과정입니다. □에 알맞은 수를 써넣으세요.

```
      [3]                                   [4]
16 ) 6 4                                16 ) 6 4
     4 8                                     [  ]
     1 6                                     [  ]
```

나머지가 나누는 수와 같아서 16으로 한 번 더 나눌 수 있습니다.
따라서, 몫을 1 크게 합니다.

```
      [4]                                   [3]
14 ) 4 2                                14 ) 4 2
     5 6                                     [  ]
                                             [  ]
```

42에서 56을 뺄 수가 없습니다.
따라서, 몫을 1 작게 합니다.

나눗셈을 할 때 관계있는 곱셈식에 ◯표 하고, 나눗셈을 하세요.

① $17 \times 2 = 34$, $17 \times 3 = 51$, $17 \times 4 = 68$ — 17) 6 8

② $23 \times 2 = 46$, $23 \times 3 = 69$, $23 \times 4 = 92$ — 23) 6 9

③ $19 \times 3 = 57$, $19 \times 4 = 76$, $19 \times 5 = 95$ — 19) 5 7

④ $15 \times 4 = 60$, $15 \times 5 = 75$, $15 \times 6 = 90$ — 15) 7 5

나눗셈을 하는 과정입니다. □에 알맞은 수를 써넣으세요.

$$\begin{array}{r} 2 \\ 28 \overline{)\,8\ 7} \\ 5\ 6 \\ \hline 3\ 1 \end{array}$$

나머지가 나누는 수보다 커서 28로 한 번 더 나눌 수 있습니다.
따라서, 몫을 1 크게 합니다.

$$\begin{array}{r} 3 \\ 28 \overline{)\,8\ 7} \\ \square \\ \hline \square \end{array}$$

$$\begin{array}{r} 3 \\ 15 \overline{)\,4\ 1} \\ 4\ 5 \\ \hline \end{array}$$

41에서 45를 뺄 수가 없습니다.
따라서, 몫을 1 작게 합니다.

$$\begin{array}{r} 2 \\ 15 \overline{)\,4\ 1} \\ \square \\ \hline \square \end{array}$$

나눗셈을 할 때 관계있는 곱셈식에 ○표 하고, 나눗셈을 하세요.

① 16 × 3 = 48
16 × 4 = 64
16 × 5 = 80

$16 \overline{)\,7\ 2}$

② 18 × 3 = 54
18 × 4 = 72
18 × 5 = 90

$18 \overline{)\,6\ 8}$

③ 24 × 2 = 48
24 × 3 = 72
24 × 4 = 96

$24 \overline{)\,9\ 5}$

④ 14 × 5 = 70
14 × 6 = 84
14 × 7 = 98

$14 \overline{)\,8\ 2}$

계산을 하세요.

① $16\overline{)80}$

② $19\overline{)54}$

③ $13\overline{)46}$

④ $26\overline{)67}$

⑤ $24\overline{)72}$

⑥ $18\overline{)88}$

⑦ $17\overline{)85}$

⑧ $14\overline{)74}$

⑨ $23\overline{)92}$

⑩ $14\overline{)78}$

⑪ $16\overline{)45}$

⑫ $16\overline{)93}$

⑬ $13\overline{)90}$

⑭ $12\overline{)47}$

⑮ $15\overline{)76}$

⑯ $21\overline{)53}$

(두 자리 수)÷(두 자리 수) 2

월 일

□에 알맞은 수를 써넣으세요.

① $32 \times \square = 96$　② $14 \times \square = 56$　③ $27 \times \square = 81$

④ $15 \times \square = 75$　⑤ $26 \times \square = 52$　⑥ $18 \times \square = 90$

⑦ $24 \times \square = 96$　⑧ $13 \times \square = 91$　⑨ $36 \times \square = 72$

□에 들어갈 수 있는 가장 큰 자연수를 써넣으세요.

① $23 \times \square < 90$　② $14 \times \square < 33$　③ $19 \times \square < 62$

④ $18 \times \square < 84$　⑤ $16 \times \square < 52$　⑥ $15 \times \square < 52$

⑦ $13 \times \square < 76$　⑧ $26 \times \square < 82$　⑨ $17 \times \square < 95$

계산을 하세요.

① $32\overline{)92}$

② $14\overline{)93}$

③ $26\overline{)63}$

④ $13\overline{)38}$

⑤ $19\overline{)96}$

⑥ $17\overline{)64}$

⑦ $12\overline{)86}$

⑧ $37\overline{)89}$

⑨ $15\overline{)60}$

⑩ $31\overline{)69}$

⑪ $24\overline{)96}$

⑫ $12\overline{)55}$

⑬ $13\overline{)49}$

⑭ $11\overline{)70}$

⑮ $35\overline{)68}$

⑯ $13\overline{)71}$

계산을 하세요.

① $19\overline{)70}$

② $41\overline{)80}$

③ $37\overline{)88}$

④ $24\overline{)82}$

⑤ $16\overline{)62}$

⑥ $18\overline{)72}$

⑦ $21\overline{)84}$

⑧ $14\overline{)86}$

⑨ $17\overline{)37}$

⑩ $24\overline{)56}$

⑪ $13\overline{)66}$

⑫ $11\overline{)36}$

⑬ $14\overline{)78}$

⑭ $15\overline{)75}$

⑮ $25\overline{)48}$

⑯ $29\overline{)93}$

연산 퍼즐

공부한 날 월 일

빈칸에 알맞은 수를 써넣으세요.

<table>
<tr><td></td><td></td><td>84</td><td>÷</td><td>17</td><td>=</td><td></td><td>…</td><td></td><td></td><td></td><td></td><td></td><td></td><td></td></tr>
<tr><td></td><td></td><td>÷</td><td></td><td></td><td></td><td></td><td></td><td>×</td><td></td><td></td><td></td><td></td><td></td><td></td></tr>
<tr><td>38</td><td>÷</td><td>18</td><td>=</td><td></td><td>…</td><td></td><td></td><td>4</td><td></td><td>99</td><td></td><td></td><td></td><td></td></tr>
<tr><td></td><td></td><td>=</td><td></td><td></td><td></td><td></td><td></td><td>=</td><td></td><td>÷</td><td></td><td></td><td></td><td></td></tr>
<tr><td></td><td></td><td></td><td></td><td></td><td></td><td></td><td></td><td></td><td>÷</td><td>13</td><td>=</td><td></td><td>…</td><td></td></tr>
<tr><td></td><td></td><td>⋮</td><td></td><td></td><td></td><td></td><td></td><td></td><td></td><td>=</td><td></td><td></td><td></td><td></td></tr>
<tr><td>54</td><td>÷</td><td></td><td>=</td><td></td><td>…</td><td></td><td></td><td></td><td></td><td></td><td></td><td>87</td><td></td><td></td></tr>
<tr><td></td><td></td><td></td><td></td><td>×</td><td></td><td></td><td></td><td></td><td></td><td>⋮</td><td></td><td>÷</td><td></td><td></td></tr>
<tr><td></td><td></td><td></td><td></td><td>6</td><td></td><td></td><td></td><td>98</td><td>÷</td><td></td><td>=</td><td></td><td>…</td><td></td></tr>
<tr><td></td><td></td><td></td><td></td><td>=</td><td></td><td></td><td></td><td>÷</td><td></td><td></td><td></td><td>=</td><td></td><td></td></tr>
<tr><td></td><td></td><td>69</td><td>÷</td><td></td><td>=</td><td></td><td>…</td><td></td><td></td><td></td><td></td><td></td><td></td><td></td></tr>
<tr><td></td><td></td><td></td><td></td><td></td><td></td><td></td><td></td><td>=</td><td></td><td></td><td></td><td>⋮</td><td></td><td></td></tr>
<tr><td></td><td></td><td></td><td></td><td>58</td><td>÷</td><td>13</td><td>=</td><td></td><td>…</td><td></td><td></td><td></td><td></td><td></td></tr>
<tr><td></td><td></td><td></td><td></td><td></td><td></td><td></td><td></td><td>⋮</td><td></td><td></td><td></td><td></td><td></td><td></td></tr>
<tr><td></td><td></td><td></td><td></td><td></td><td></td><td>50</td><td>÷</td><td></td><td>=</td><td></td><td>…</td><td></td><td></td><td></td></tr>
</table>

빈칸에 알맞은 수를 써넣으세요.

64	÷	12	=		…			43						
				×				÷						
		96	÷	14	=		…			58				
				=				=		÷				
					÷	19	=		…			58		
								⋮		=		÷		
				98					×		=			
				÷						⋮		=		
				83	÷	11	=		…					82
		×		=								⋮		÷
		6						68	÷	25	=		…	
		=		⋮										=
		72	÷		=		…							
														⋮
								49	÷	13	=		…	

과수원에서 수확한 사과를 모두 포장하는 데 필요한 상자의 개수와 포장하고 남은 사과의 개수를 구하세요.

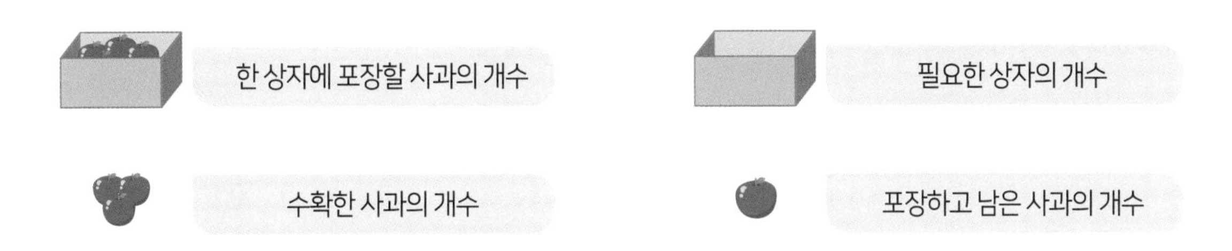

①

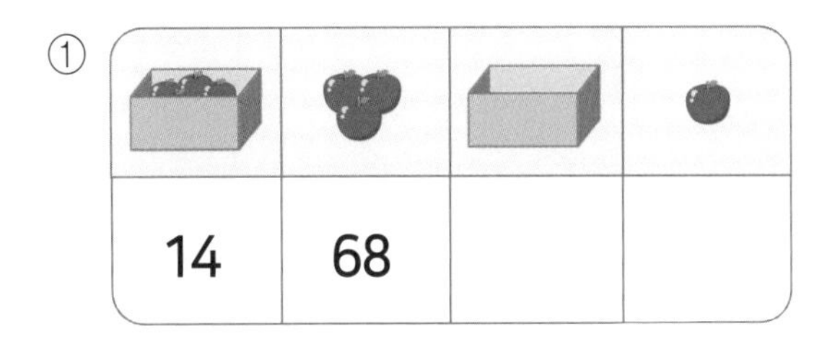

14	68		

②

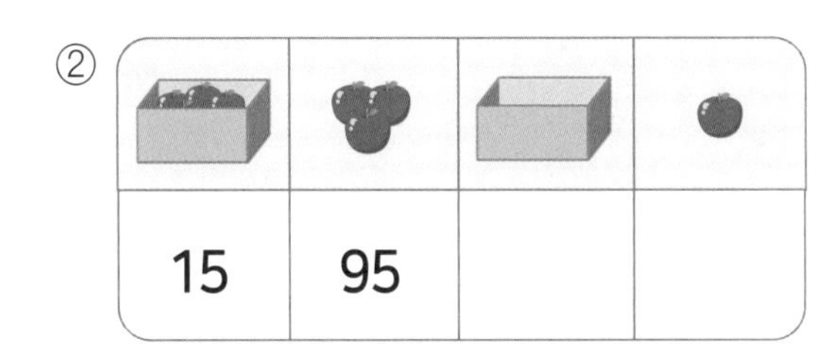

15	95		

③

11	37		

④

13	59		

⑤

23	86		

⑥

17	48		

⑦

16	74		

⑧

12	89		

글을 보고 물음에 알맞은 식과 답을 쓰고 검산식을 세워 검산을 하세요.

재호는 84쪽인 동화책을 매일 13쪽씩 읽고 있습니다.

① 84를 13으로 나누어 몫과 나머지를 구하세요.

식 : ________________ 몫 : ________, 나머지 : ________

검산 : ________________

② 재호가 동화책을 모두 읽는 데 며칠이 걸릴까요?

답 : ________ 일

③ 96쪽인 책을 하루에 22쪽씩 읽으면 모두 읽는 데 며칠이 걸릴까요?

식 : ________________ 답 : ________ 일

검산 : ________________

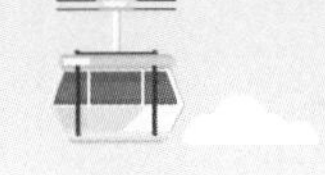

문제를 읽고 알맞은 식과 답을 쓰고 검산식을 세워 검산을 하세요.

① 수현이가 구슬 69개를 15개씩 상자에 넣어 정리하려고 합니다. 구슬을 남김없이 상자에 정리하려면 상자는 몇 개가 필요할까요? (단, 15개씩 채우고 남은 구슬은 하나의 상자에 넣습니다.)

식 : ______________________ 답 : __________개

검산 : ______________________

② 어느 공장에서 하루에 tv를 18대씩 만듭니다. 6월 2일부터 일을 시작하여 tv를 모두 80대 만들려면 일이 끝나는 날은 6월 며칠일까요?

식 : ______________________ 답 : __________일

검산 : ______________________

③ 80 cm 길이의 포장 끈을 14 cm씩 잘라서 선물을 포장하면 선물을 몇 개 포장할 수 있을까요?

식 : ______________________ 답 : __________개

검산 : ______________________

④ 58개의 배를 한 상자에 12개씩 포장하여 팔면 모두 몇 상자를 판매할 수 있을까요?

식 : ______________________ 답 : __________상자

검산 : ______________________

문제를 읽고 알맞은 식과 답을 쓰고 검산식을 세워 검산을 하세요.

① 씨감자 68개를 밭에 심으려고 합니다. 한 줄에 16개씩 심으면 몇 줄을 심을 수 있을까요?

식 : ______________________ 답 : __________ 줄

검산 : ______________________

② 1월 1일 낮 12시에서 76시간이 흐르면 몇 월 며칠 몇 시일까요?

식 : ______________________ 답 : __________

검산 : ______________________

③ 3월 1일 낮 12시에서 92시간이 흐르면 몇 월 며칠 몇 시일까요?

식 : ______________________ 답 : __________

검산 : ______________________

④ 정호는 크리스마스에 초콜릿 50개를 선물 받았습니다. 정호와 형이 크리스마스 날부터 매일 8개씩 똑같이 초콜릿을 먹으면 마지막으로 8개씩 초콜릿을 먹은 날은 몇 월 며칠일까요?

식 : ______________________ 답 : __________

검산 : ______________________

2주차

(세 자리 수)÷(두 자리 수)

(세 자리 수)÷(두 자리 수)의 계산은 세로셈을 정확하게 연습하는 것이 중요합니다. 이때 두 자리 곱셈의 어림이 세로셈 계산을 연습하는 데 도움이 됩니다. 세로셈 위주로 연습하되 어림해 보도록 하는 문제를 넣었습니다.

(세 자리 수)÷(두 자리 수) 1

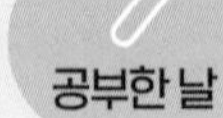

월 일

□에 들어갈 수 있는 가장 큰 자연수를 써넣으세요.

① $36 \times \square < 262$　② $57 \times \square < 356$　③ $63 \times \square < 520$

④ $45 \times \square < 283$　⑤ $32 \times \square < 126$　⑥ $75 \times \square < 486$

⑦ $67 \times \square < 471$　⑧ $52 \times \square < 427$　⑨ $85 \times \square < 639$

나눗셈을 하는 과정입니다. □에 알맞은 수를 써넣으세요.

나눗셈을 할 때 관계있는 곱셈식에 ◯표 하고, 나눗셈을 하세요.

①

$44 \times 6 = 264$
$44 \times 7 = 308$
$44 \times 8 = 352$

$44 \overline{)348}$

②

$56 \times 6 = 336$
$56 \times 7 = 392$
$56 \times 8 = 448$

$56 \overline{)416}$

③

$94 \times 7 = 658$
$94 \times 8 = 752$
$94 \times 9 = 846$

$94 \overline{)702}$

④

$85 \times 5 = 425$
$85 \times 6 = 510$
$85 \times 7 = 595$

$85 \overline{)539}$

⑤

$51 \times 7 = 357$
$51 \times 8 = 408$
$51 \times 9 = 459$

$51 \overline{)390}$

⑥

$39 \times 6 = 234$
$39 \times 7 = 273$
$39 \times 8 = 312$

$39 \overline{)268}$

⑦

$73 \times 7 = 511$
$73 \times 8 = 584$
$73 \times 9 = 657$

$73 \overline{)649}$

⑧

$89 \times 5 = 445$
$89 \times 6 = 534$
$89 \times 7 = 623$

$89 \overline{)510}$

계산을 하세요.

$$\begin{array}{r} 4 \\ 34 \overline{)159} \\ \underline{136} \\ 23 \end{array}$$

① $45\overline{)326}$

② $26\overline{)128}$

③ $57\overline{)394}$

④ $62\overline{)480}$

⑤ $54\overline{)229}$

⑥ $72\overline{)261}$

⑦ $74\overline{)164}$

⑧ $96\overline{)872}$

⑨ $47\overline{)268}$

⑩ $35\overline{)283}$

⑪ $98\overline{)702}$

⑫ $49\overline{)248}$

⑬ $91\overline{)739}$

⑭ $83\overline{)270}$

⑮ $41\overline{)168}$

(세 자리 수)÷(두 자리 수) 2

월 일

□에 들어갈 수 있는 가장 큰 자연수를 써넣으세요.

① 23 × □ < 952 ② 32 × □ < 653 ③ 19 × □ < 465

④ 28 × □ < 584 ⑤ 36 × □ < 852 ⑥ 15 × □ < 486

⑦ 13 × □ < 376 ⑧ 23 × □ < 536 ⑨ 37 × □ < 695

나눗셈을 하는 과정입니다. □에 알맞은 수를 써넣으세요.

23에 20을 곱하면 562보다 작고, 30을 곱하면 562보다 큽니다. 따라서, 562를 23으로 나눈 몫의 십의 자리는 2입니다.

23 × 20 = 460
23 × 30 = 690

23에 4를 곱하면 102보다 작고, 5를 곱하면 102보다 큽니다. 따라서, 102를 23으로 나눈 몫은 4이고, 4는 곧 562를 23으로 나눈 몫의 일의 자리가 됩니다.

23 × 4 = 92
23 × 5 = 115

```
        2 4
 23 ) 5 6 2
23×2= □
      1 0 2
23×4= □
        □
```

나눗셈을 할 때 관계있는 곱셈식에 모두 ○표 하고, 나눗셈을 하세요.

(예시)

$15 \times 30 = 450$ (○)

$15 \times 40 = 600$

⋮

$15 \times 1 = 15$ (○)

$15 \times 2 = 30$

$$\begin{array}{r} 31 \\ 15 \overline{)\,472} \\ 15\times3=\ 45 \\ \hline 22 \\ 15\times1=\ 15 \\ \hline 7 \end{array}$$

①

$18 \times 30 = 540$

$18 \times 40 = 720$

⋮

$18 \times 4 = 72$

$18 \times 5 = 90$

$18 \overline{)\,635}$

②

$24 \times 20 = 480$

$24 \times 30 = 720$

⋮

$24 \times 2 = 48$

$24 \times 3 = 72$

$24 \overline{)\,549}$

③

$14 \times 30 = 420$

$14 \times 40 = 560$

⋮

$14 \times 7 = 98$

$14 \times 8 = 112$

$14 \overline{)\,526}$

④

$26 \times 20 = 520$

$26 \times 30 = 780$

⋮

$26 \times 5 = 130$

$26 \times 6 = 156$

$26 \overline{)\,672}$

⑤

$19 \times 20 = 380$

$19 \times 30 = 570$

⋮

$19 \times 5 = 95$

$19 \times 6 = 114$

$19 \overline{)\,488}$

⑥

$16 \times 40 = 640$

$16 \times 50 = 800$

⋮

$16 \times 7 = 112$

$16 \times 8 = 128$

$16 \overline{)\,760}$

⑦

$12 \times 50 = 600$

$12 \times 60 = 720$

⋮

$12 \times 8 = 96$

$12 \times 9 = 108$

$12 \overline{)\,698}$

계산을 하세요.

예시: $16\overline{)463}$ = 28 … 15

```
      2 8
16 ) 4 6 3
     3 2
     1 4 3
     1 2 8
       1 5
```

① $19\overline{)546}$

② $13\overline{)462}$

③ $15\overline{)483}$

④ $26\overline{)704}$

⑤ $13\overline{)495}$

⑥ $32\overline{)845}$

⑦ $35\overline{)815}$

⑧ $12\overline{)533}$

⑨ $16\overline{)871}$

⑩ $25\overline{)680}$

⑪ $11\overline{)575}$

가로셈의 몫을 어림한 값과 세로셈으로 몫을 계산한 값을 비교해 보세요.

① $473 \div 15 =$ ☐ $15\overline{)473}$

② $508 \div 23 =$ ☐ $23\overline{)508}$

③ $418 \div 14 =$ ☐ $14\overline{)418}$

④ $645 \div 12 =$ ☐ $12\overline{)645}$

⑤ $952 \div 35 =$ ☐ $35\overline{)952}$

⑥ $831 \div 26 =$ ☐ $26\overline{)831}$

⑦ $746 \div 42 =$ ☐ $42\overline{)746}$

⑧ $620 \div 29 =$ ☐ $29\overline{)620}$

Tip

어림은 세로셈 계산을 연습하는 데 도움이 됩니다. 하지만 어림은 정확하지 않기 때문에 (세 자리 수) ÷ (두 자리 수)는 세로셈으로 써서 계산하는 것이 바람직합니다.

가로셈의 몫을 어림한 값과 세로셈으로 몫을 계산한 값을 비교해 보세요.

① $462 \div 16 = \square$ $16\overline{)\,4\;6\;2}$

② $607 \div 42 = \square$ $42\overline{)\,6\;0\;7}$

③ $394 \div 19 = \square$ $19\overline{)\,3\;9\;4}$

④ $852 \div 26 = \square$ $26\overline{)\,8\;5\;2}$

⑤ $584 \div 36 = \square$ $36\overline{)\,5\;8\;4}$

⑥ $649 \div 26 = \square$ $26\overline{)\,6\;4\;9}$

⑦ $850 \div 15 = \square$ $15\overline{)\,8\;5\;0}$

⑧ $419 \div 14 = \square$ $14\overline{)\,4\;1\;9}$

계산을 하세요.

① $18\overline{)580}$

② $22\overline{)852}$

③ $31\overline{)943}$

④ $29\overline{)483}$

⑤ $17\overline{)615}$

⑥ $13\overline{)479}$

⑦ $23\overline{)690}$

⑧ $35\overline{)795}$

⑨ $27\overline{)743}$

⑩ $28\overline{)657}$

⑪ $36\overline{)775}$

⑫ $12\overline{)574}$

연산 퍼즐

공부한 날 월 일

화살표 방향으로 수를 나누어 □에 몫을, ○에 나머지를 써넣으세요.

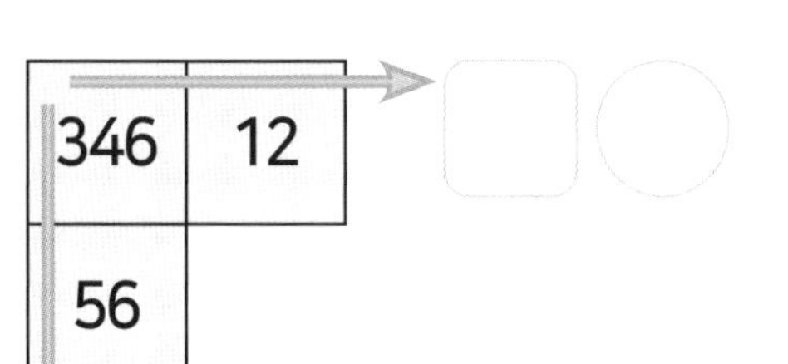

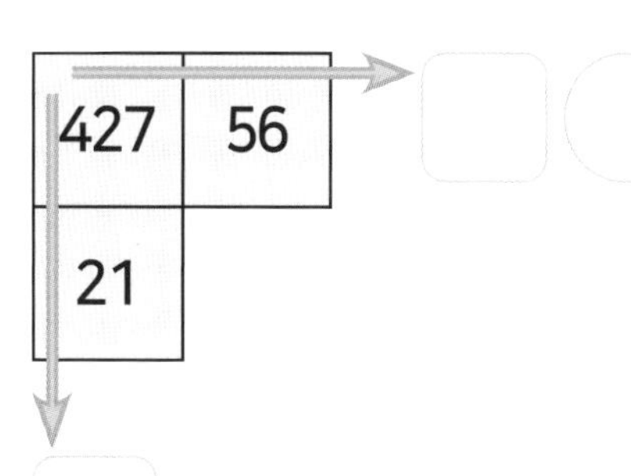

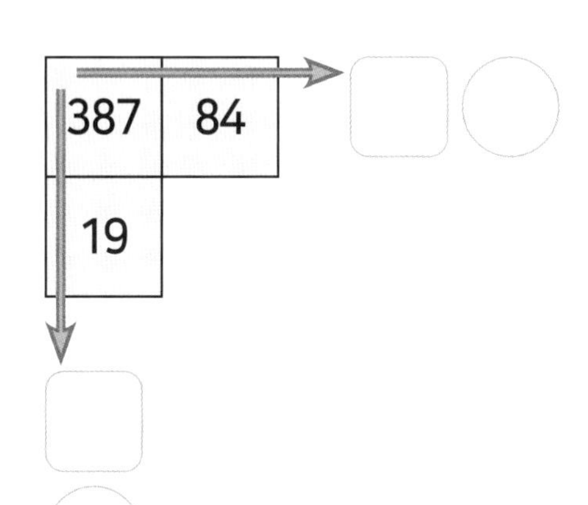

514	25
14	

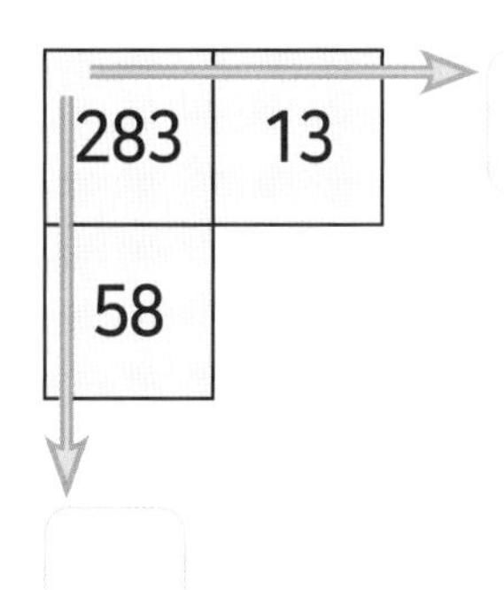

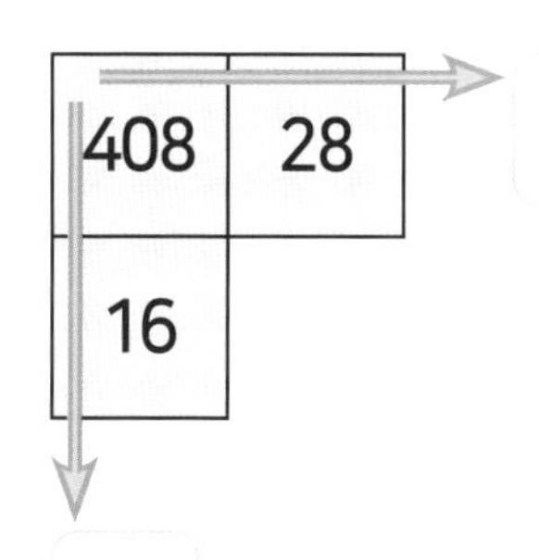

화살표 방향으로 수를 나누어 ▢에 몫을, ◯에 나머지를 써넣으세요.

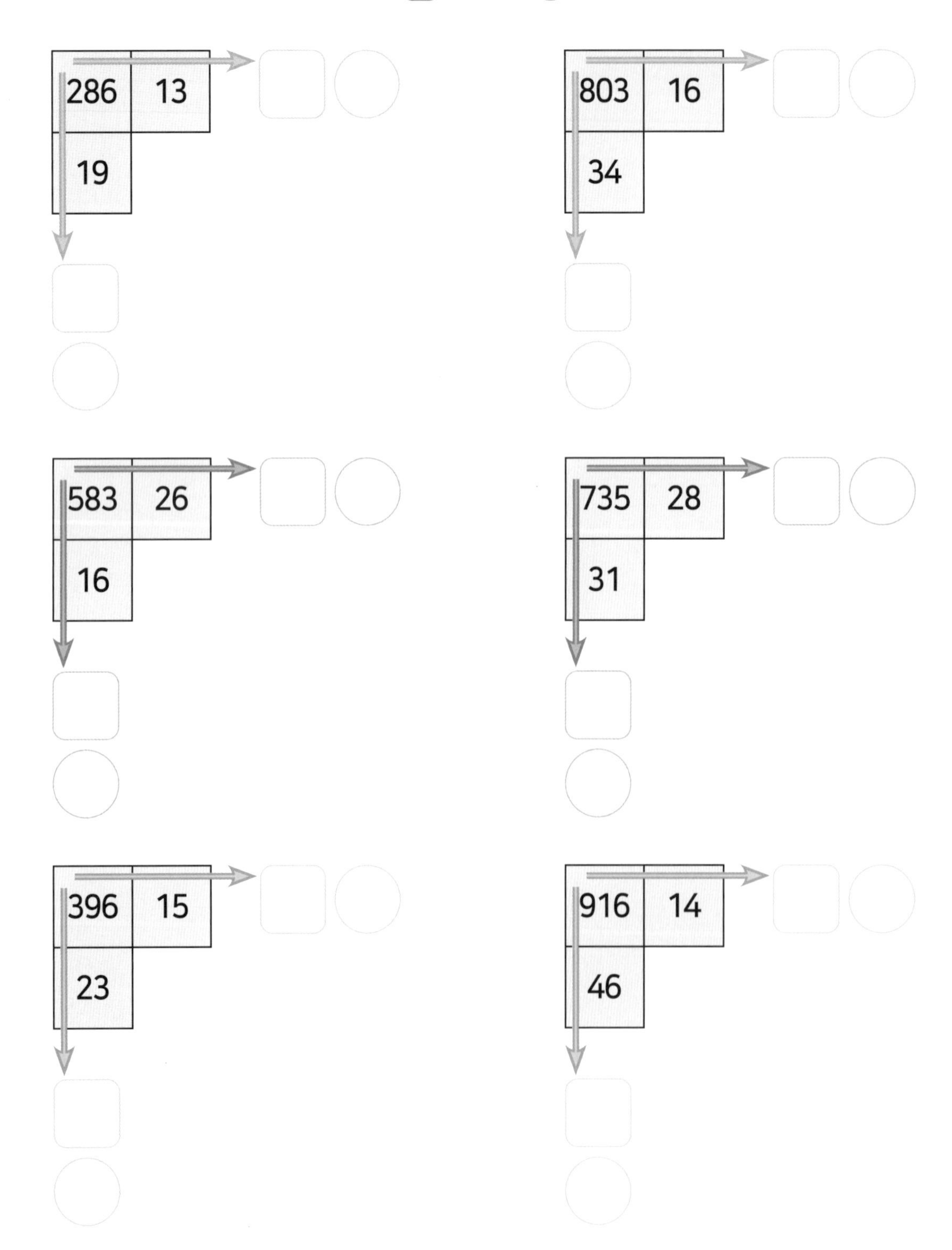

같은 위치에 있는 수를 나누어 몫과 나머지를 써넣으세요.

256	478	395
572	830	482
999	466	602

÷

32	15	48
17	25	52
39	17	24

=

⋮

공부한날 월 일

글을 보고 물음에 알맞은 식과 답을 쓰고 검산식을 세워 검산을 하세요.

수정이가 방학 때 학 500마리를 접으려고 합니다. 목표를 이루기 위해서 매일 24마리의 학을 접기로 하였습니다.

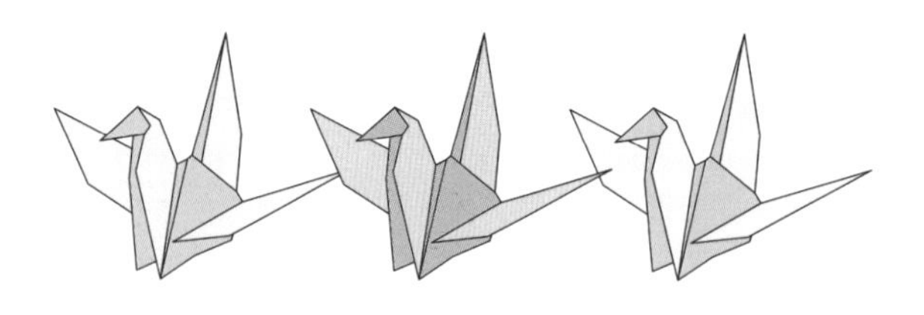

① 500을 24로 나누어 몫과 나머지를 구하세요.

식 : ______________________ 몫 : ________ , 나머지 : ________

검산 : ______________________

② 수정이가 학 500마리를 모두 접는 데 며칠이 걸립니까?

답 : __________ 일

③ 5 m 80 cm 길이의 끈을 19 cm씩 자르면 남는 끈의 길이는 몇 cm 일까요?

식 : ______________________ 답 : __________ cm

검산 : ______________________

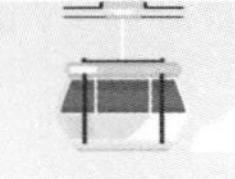

문제를 읽고 알맞은 식과 답을 쓰고 검산식을 세워 검산을 하세요.

① 희정이가 238쪽인 소설책을 읽으려고 합니다. 매일 16쪽씩 읽으면 책을 모두 읽는 데 며칠이 걸릴까요?

식 : ______________________ 답 : ________ 일

검산 : ______________________

② 귤 356개를 수확하여 상자에 24개씩 포장하였습니다. 남은 귤은 모두 몇 개일까요?

식 : ______________________ 답 : ________ 개

검산 : ______________________

③ 희연이네 교실 뒤의 벽은 가로의 길이가 4 m 52 cm입니다. 스케치북에 그린 아이들의 그림을 벽에 걸면 가로로 몇 개까지 걸 수 있을까요? (단, 스케치북의 가로 길이는 32 cm입니다.)

식 : ______________________ 답 : ________ 개

검산 : ______________________

④ 자동차 공장에서 16분에 한 대씩의 자동차를 만들 수 있습니다. 이 공장은 8시간 동안 최대 몇 대의 자동차를 만들 수 있을까요?

식 : ______________________ 답 : ________ 대

검산 : ______________________

문제를 읽고 알맞은 식과 답을 쓰고 검산식을 세워 검산을 하세요.

① 정수가 방학 동안 걸어서 우리나라를 횡단하는 국토 대장정을 떠났습니다. 하루에 26 km씩 걸어서 486 km를 가려면 모두 며칠이 걸릴까요?

식 : ______________________ 답 : __________ 일

검산 : ______________________

② 3월 1일 낮 12시에서 390시간이 흐르면 몇 월 며칠 몇 시일까요?

식 : ______________________ 답 : __________

검산 : ______________________

③ 5월 5일 낮 12시에서 546시간이 흐르면 몇 월 며칠 몇 시일까요?

식 : ______________________ 답 : __________

검산 : ______________________

④ 운동장에 학생 246명이 있습니다. 14명씩 줄을 세우면 몇 줄이 될까요? (단, 나머지 학생의 수가 14명보다 적은 경우도 한 줄로 섭니다.)

식 : ______________________ 답 : __________ 줄

검산 : ______________________

3주차

□ 구하기

곱셈과 나눗셈의 관계를 이용하여 □를 구하는 문제를 해결하면서 곱셈과 나눗셈의 총연습이 되도록 하였습니다. 3학년 과정에서 곱셈과 나눗셈의 관계를 공부하였으므로 원리는 생략하고 연습을 위주로 합니다.

□×몇

공부한 날 월 일

식을 세워 ★이 나타내는 수를 구하세요.

★ × 23 = 483

➡ ★ = 483 ÷ 23 = 21

① 16 × ★ = 592

➡

② ★ × 14 = 406

➡

③ 32 × ★ = 256

➡

④ 17 × ★ = 731

➡

⑤ ★ × 26 = 728

➡

⑥ ★ × 13 = 897

➡

⑦ 48 × ★ = 384

➡

⑧ ★ × 19 = 969

➡

⑨ 67 × ★ = 871

➡

식을 세워 ★이 나타내는 수를 구하세요.

★ × 14 + 9 = 821

➡ ★ = (821 − 9) ÷ 14 = 58

① 28 × ★ + 15 = 463

➡

② ★ × 22 + 5 = 841

➡

③ 16 × ★ + 11 = 843

➡

④ 17 × ★ + 13 = 302

➡

⑤ ★ × 12 + 2 = 470

➡

⑥ ★ × 53 + 35 = 353

➡

⑦ 38 × ★ + 27 = 711

➡

⑧ 15 × ★ + 14 = 554

➡

⑨ ★ × 45 + 38 = 173

➡

Tip

☆×14+9=821에서 괄호를 사용하지 않고 두 식 821-9=812, 812÷14=58로 해결할 수도 있습니다. 위에서는 괄호를 사용하여 하나의 식을 세워 보세요.

수직선의 어떤 수에서 시작하여 ★만큼 여러 번 뛰어 센 결과를 보고 ★을 구하세요.

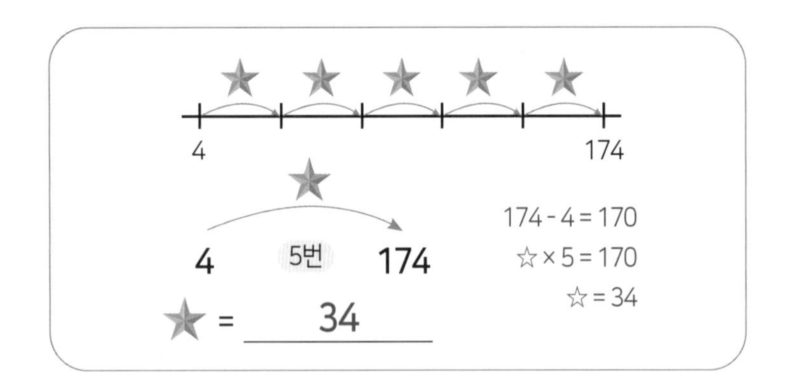

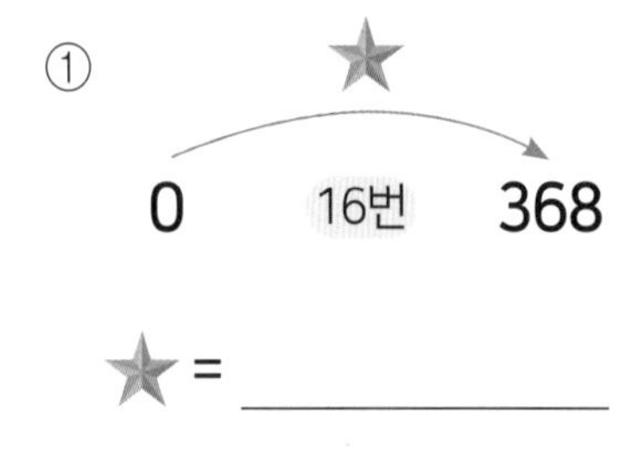

② 0 12번 108

★ = ____________

③ 0 54번 594

★ = ____________

④ 12 17번 284

★ = ____________

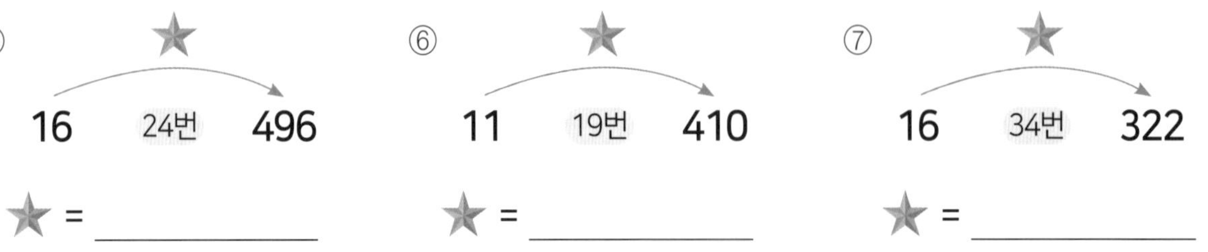

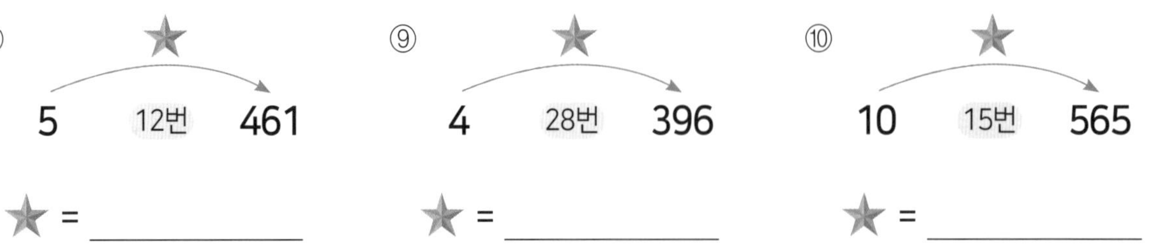
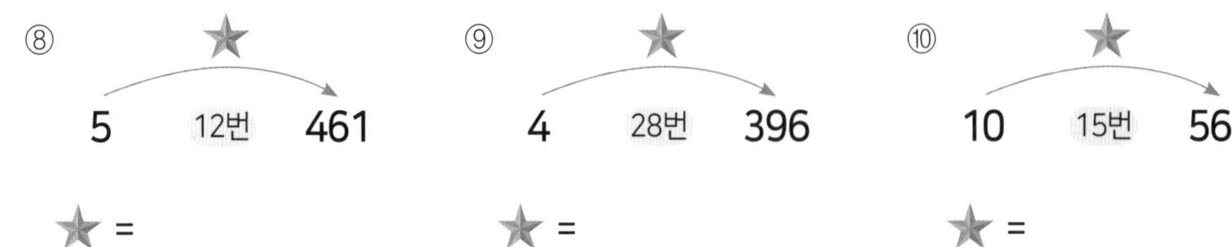

□÷몇

공부한 날 월 일

식을 세워 ▲이 나타내는 수를 구하세요.

▲ ÷ 16 = 34

➡ ▲ = 16 × 34 = 544

① ▲ ÷ 32 = 28

➡

② ▲ ÷ 58 = 6

➡

③ ▲ ÷ 14 = 59

➡

④ ▲ ÷ 12 = 32

➡

⑤ ▲ ÷ 41 = 22

➡

⑥ ▲ ÷ 19 = 49

➡

⑦ ▲ ÷ 85 = 7

➡

⑧ ▲ ÷ 37 = 24

➡

⑨ ▲ ÷ 15 = 63

➡

식을 세워 ▲이 나타내는 수를 구하세요.

▲ ÷ 22 = 17 ⋯ 13

➡ ▲ = 22 × 17 + 13 = 387

① ▲ ÷ 15 = 43 ⋯ 8

➡

② ▲ ÷ 27 = 29 ⋯ 23

➡

③ ▲ ÷ 32 = 24 ⋯ 7

➡

④ ▲ ÷ 74 = 8 ⋯ 59

➡

⑤ ▲ ÷ 18 = 44 ⋯ 15

➡

⑥ ▲ ÷ 31 = 25 ⋯ 25

➡

⑦ ▲ ÷ 68 = 9 ⋯ 64

➡

⑧ ▲ ÷ 14 = 46 ⋯ 2

➡

⑨ ▲ ÷ 36 = 27 ⋯ 14

➡

일정한 길이로 자른 나무 막대의 개수와 자르고 남은 한 도막의 길이를 보고 자르기 전 나무 막대의 길이를 구하세요.

①

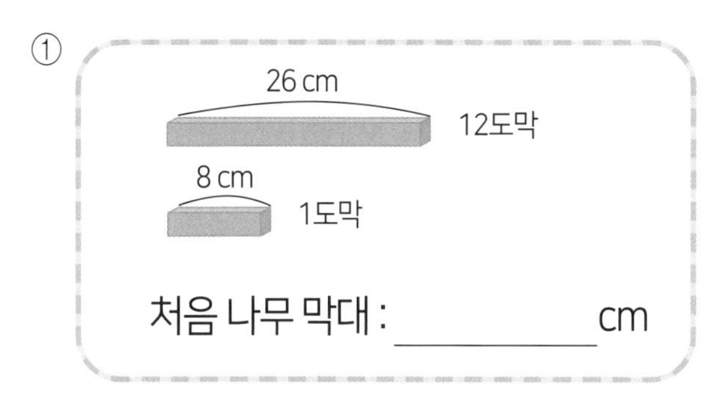

②

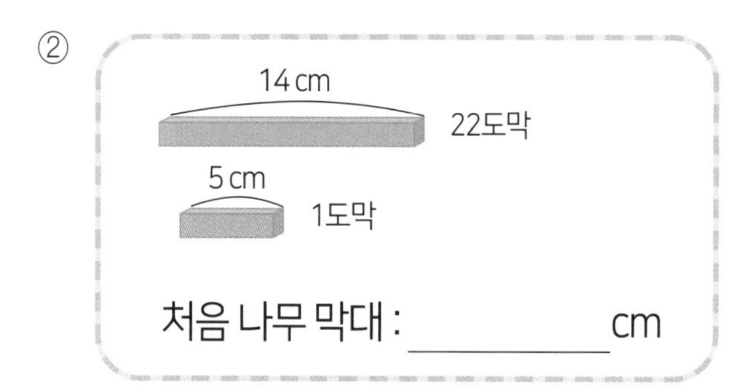

③

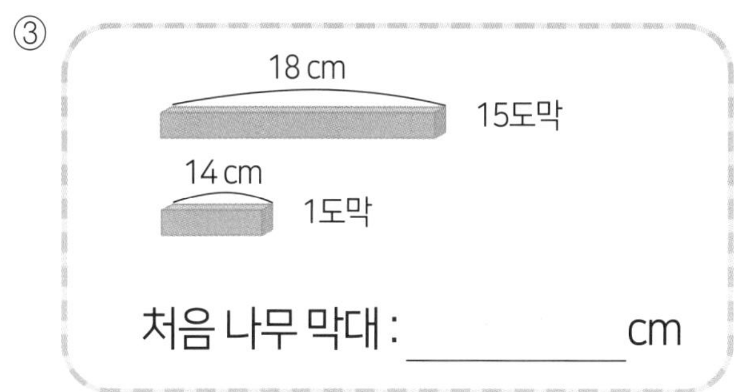

④

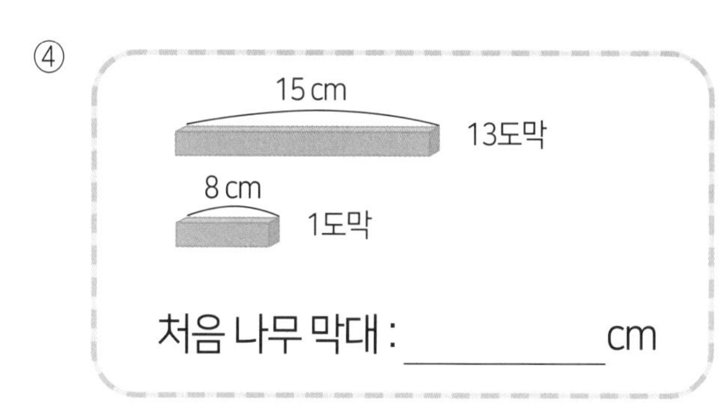

⑤

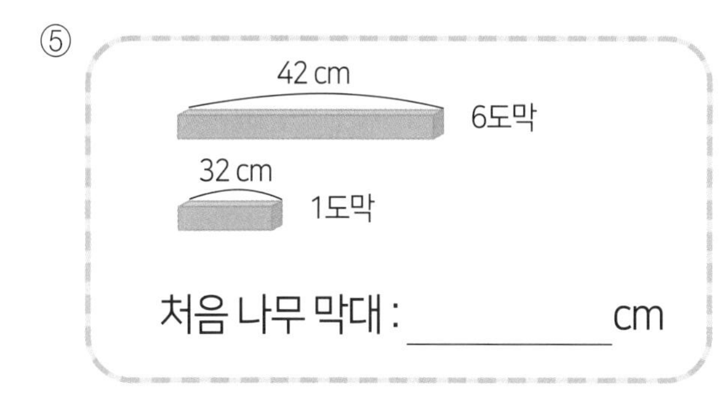

⑥

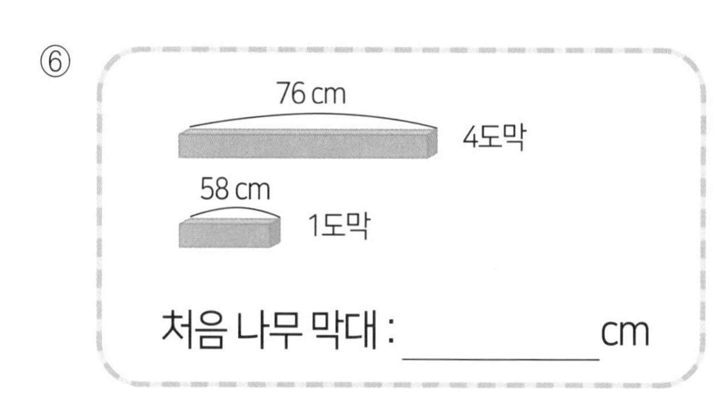

⑦

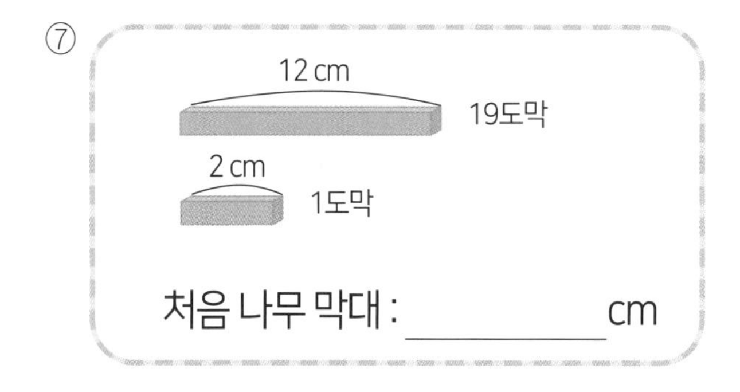

⑧

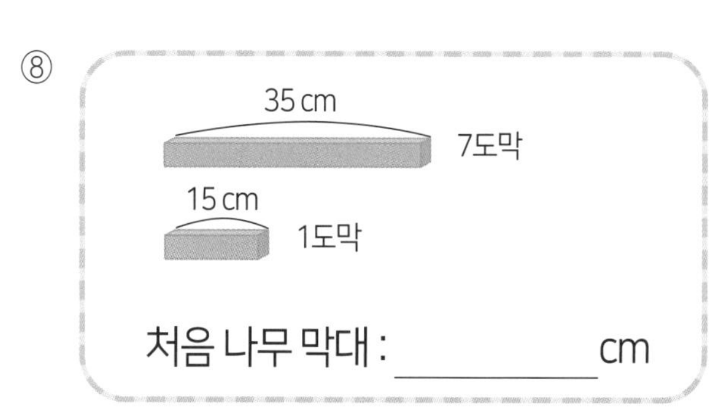

월 일

식을 세워 ◆가 나타내는 수를 구하세요.

525 ÷ ◆ = 35

➡ ◆ = 525 ÷ 35 = 15

① 494 ÷ ◆ = 26

➡

② 884 ÷ ◆ = 17

➡

③ 736 ÷ ◆ = 46

➡

④ 715 ÷ ◆ = 13

➡

⑤ 444 ÷ ◆ = 37

➡

⑥ 756 ÷ ◆ = 27

➡

⑦ 966 ÷ ◆ = 42

➡

⑧ 465 ÷ ◆ = 15

➡

⑨ 494 ÷ ◆ = 19

➡

식을 세워 ◆가 나타내는 수를 구하세요.

525 ÷ ◆ = 15 ⋯ 15

➡ ◆ = (525 − 15) ÷ 15 = 34

① 473 ÷ ◆ = 18 ⋯ 23

➡

② 509 ÷ ◆ = 14 ⋯ 5

➡

③ 748 ÷ ◆ = 26 ⋯ 20

➡

④ 680 ÷ ◆ = 52 ⋯ 4

➡

⑤ 497 ÷ ◆ = 62 ⋯ 1

➡

⑥ 830 ÷ ◆ = 21 ⋯ 11

➡

⑦ 507 ÷ ◆ = 84 ⋯ 3

➡

⑧ 730 ÷ ◆ = 42 ⋯ 16

➡

⑨ 833 ÷ ◆ = 33 ⋯ 8

➡

1도막의 길이가 □ cm가 되도록 철사를 잘랐습니다. 도막의 개수와 남은 철사의 길이를 보고 1도막의 길이를 구하세요.

①
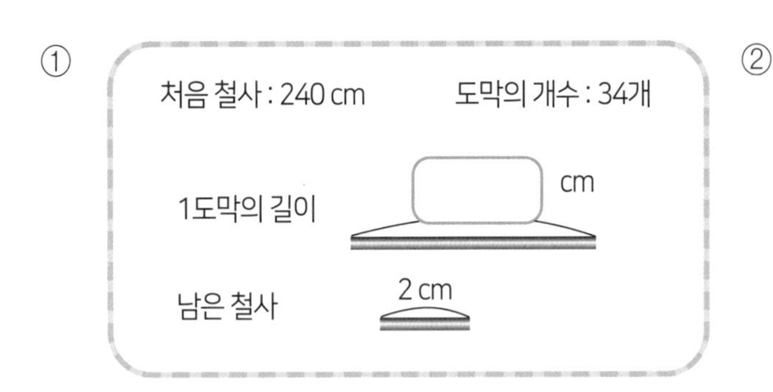

②
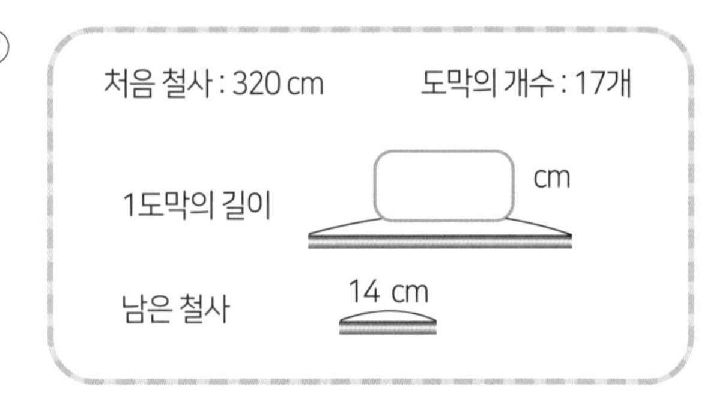

③
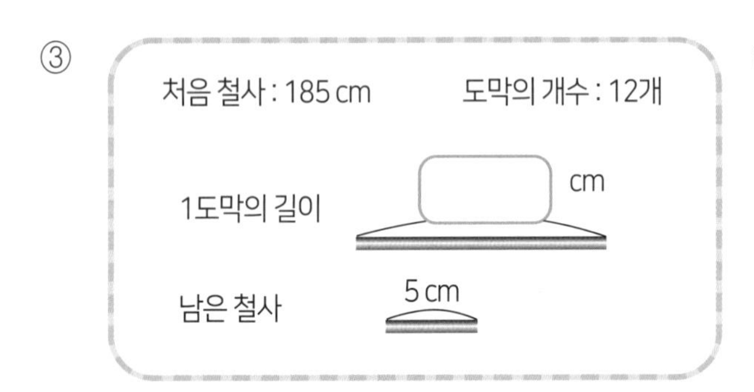

④
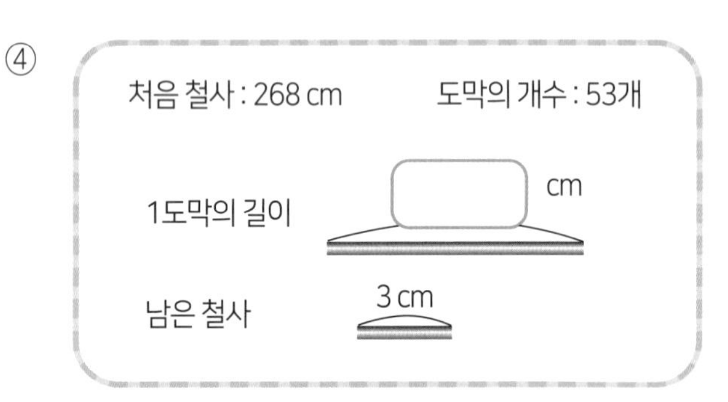

⑤
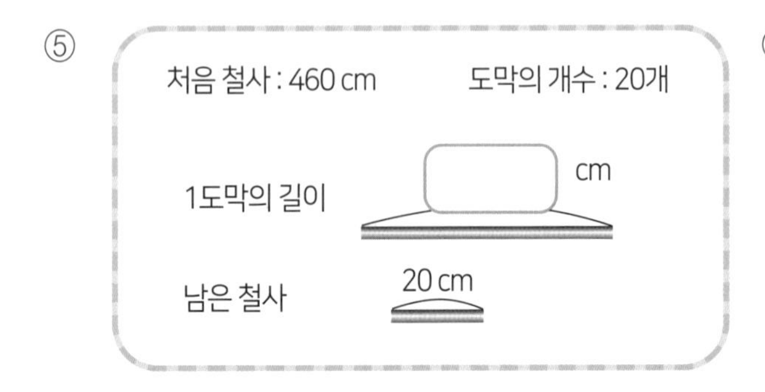

⑥
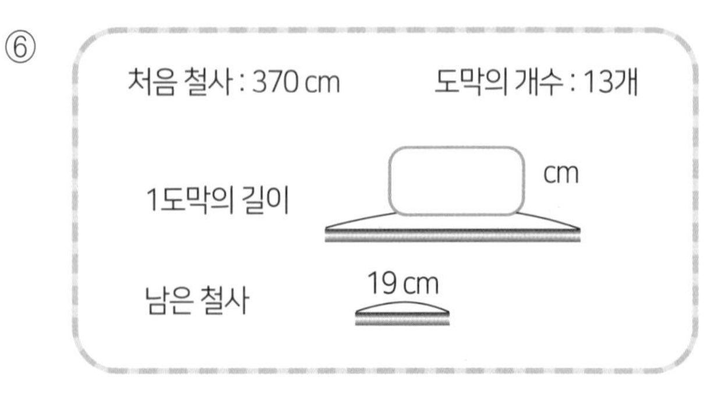

⑦
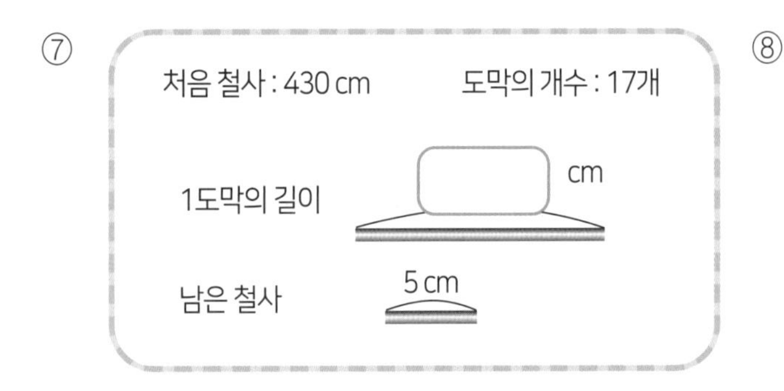

⑧
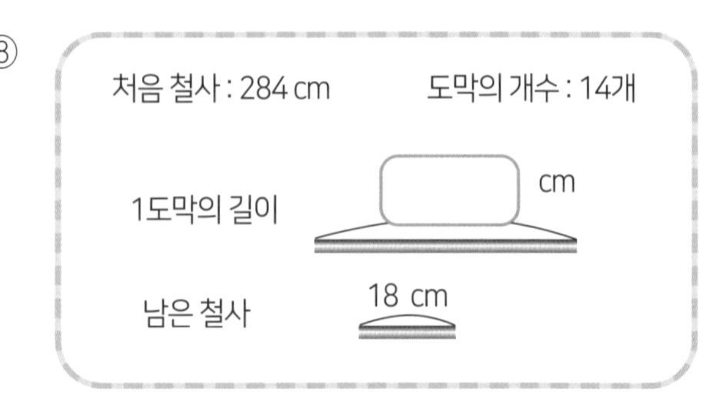

연산 퍼즐

공부한 날 월 일

화살표 방향으로 수를 나누어 ▢에 몫을, ◯에 나머지를 써넣은 것입니다. 빈 곳에 알맞은 수를 써넣으세요.

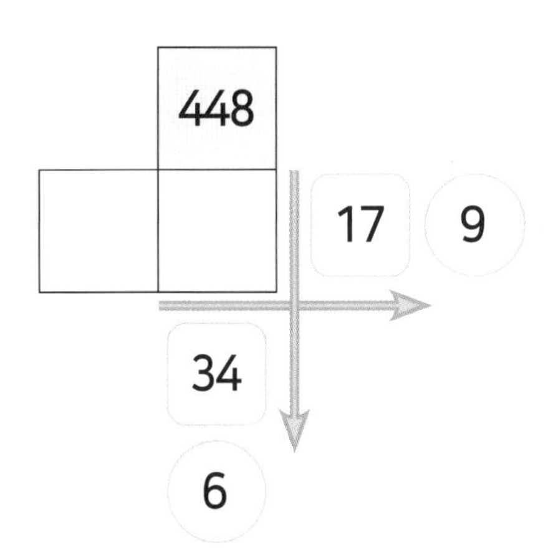

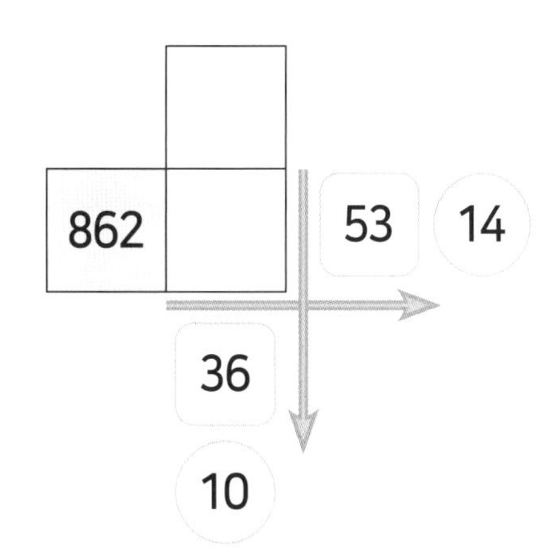

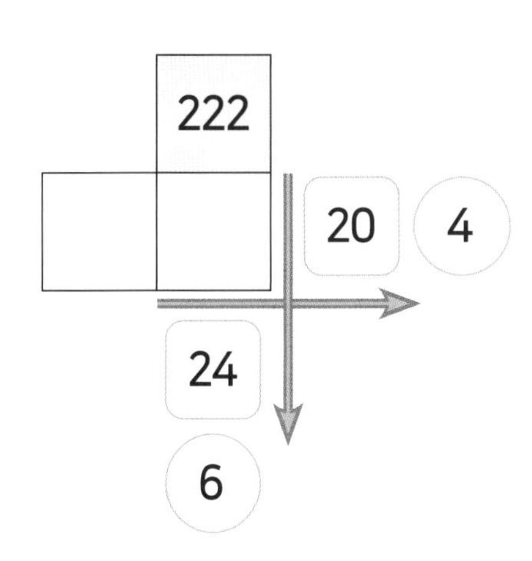

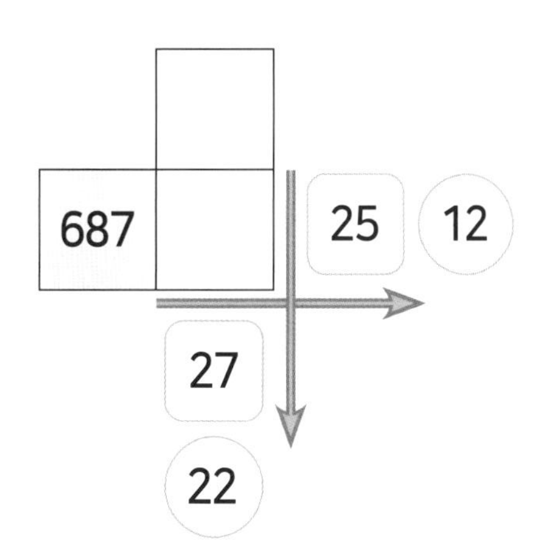

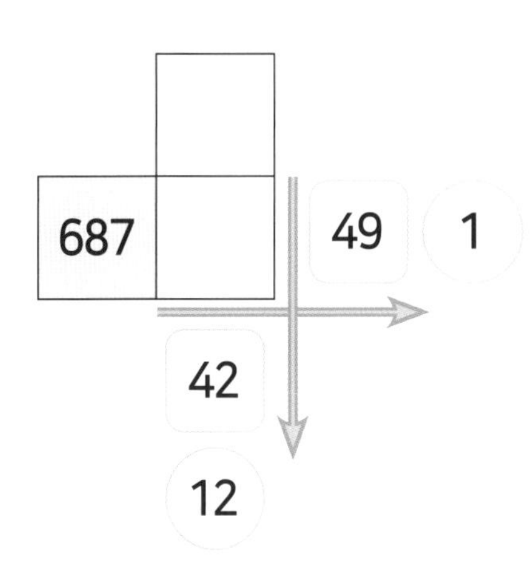

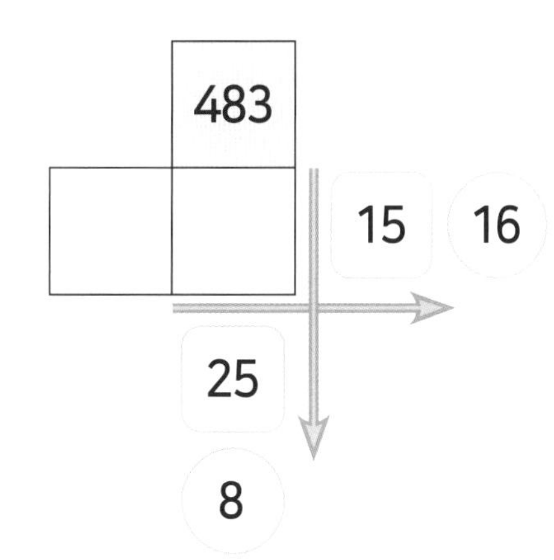

□에 알맞은 수를 써넣으세요.

		□				□	÷	84	=	2	⋯	15		
		÷								×				
235	÷	□	=	14	⋯	11		□	×	□	+	10	=	543
		=								+				
		28	×	□	+	7	=	□		7				
		⋮						÷		=				
		12						20	×	□	=	660		
								=				÷		
				□	÷	19	=	19	⋯	7		38		
				÷				⋮				=		
				47		□	÷	19	=	32	⋯	□		
				=								⋮		
576	÷	□	=	□	⋯	58						14		
				⋮										
		□	÷	39	=	22	⋯	16						

같은 위치에 있는 수를 나누어 몫과 나머지를 써넣은 것입니다. 빈 곳에 알맞은 수를 써넣으세요.

431		262
	434	
868		217

÷

	15	
19		25
	25	

=

23	18	21
31	30	31
29	27	21

⋮

17	12	10
18	14	22
27	22	7

글을 보고 물음에 알맞은 식과 답을 쓰고 검산식을 세워 검산을 하세요.

호준이가 나무 막대를 잘라 화단에 사용할 말뚝을 만들고 있습니다. 길이가 3 m 52 cm인 나무 막대를 같은 길이로 잘라 말뚝을 13개 만들었더니 나무 막대가 14 cm 남았습니다.

① 호준이가 자른 말뚝 한 개의 길이를 구하세요.

식 : ______________________ 답 : ________ cm

검산 : ______________________

② 같은 길이의 말뚝을 15개 만들어야 한다면 가장 길게 자를 수 있는 말뚝의 길이는 얼마일까요?

식 : ______________________ 답 : ________ cm

검산 : ______________________

③ 밤을 326 kg 수확하여 23개 상자에 담았더니 4 kg의 밤이 남았습니다. 한 상자에 담은 밤의 무게는 몇 kg일까요?

식 : ______________________ 답 : ________ kg

검산 : ______________________

문제를 읽고 물음에 알맞은 식과 답을 쓰고 검산식을 세워 검산을 하세요.

① 수연이는 3월에 매일 똑같이 몇 쪽씩 책을 읽어서 1권에 124쪽인 동화책 4권을 읽었습니다. 수연이는 하루에 몇 쪽의 책을 읽었을까요? (3월은 31일까지 있습니다.)

식 : ______________________ 답 : ________ 쪽

검산 : ______________________

② 철사를 사 와서 21 cm씩 18도막으로 잘랐더니 15 cm 남았습니다. 처음에 사 온 철사의 길이는 얼마일까요? (곱셈식을 세워서 답을 구하고, 나눗셈식으로 검산을 하세요.)

식 : ______________________ 답 : ________ cm

검산 : ______________________

③ 230명의 학생들이 현장 학습을 가는데 한 대의 버스만 14명이 타고, 다른 버스는 24명씩 똑같이 탔습니다. 버스는 모두 몇 대가 갔을까요?

식 : ______________________ 답 : ________ 대

검산 : ______________________

④ 사탕 483개를 14개의 봉지에 똑같이 나누어 담았더니 사탕 7개가 남았습니다. 한 봉지에 담긴 사탕은 몇 개일까요?

식 : ______________________ 답 : ________ 개

검산 : ______________________

문제를 읽고 물음에 알맞은 식과 답을 쓰고 검산식을 세워 검산을 하세요.

① 어떤 수에 11을 나누어야 할 것을 곱했더니 682가 되었습니다. 2개의 식을 세워서 바르게 계산했을 때의 몫과 나머지를 구하세요.

식 1 : ______

식 2 : ______ 답 : ______ , ______

② 어떤 수에 19를 나누어야 할 것을 곱했더니 817이 되었습니다. 2개의 식을 세워서 바르게 계산했을 때의 몫과 나머지를 구하세요.

식 1 : ______

식 2 : ______ 답 : ______ , ______

③ 어떤 수에서 36을 나누어야 할 것을 뺐었더니 483이 되었습니다. 2개의 식을 세워서 바르게 계산했을 때의 몫과 나머지를 구하세요.

식 1 : ______

식 2 : ______ 답 : ______ , ______

④ 빵을 한 봉지에 12개씩 포장해야 할 것을 14개씩 포장했더니 30 봉지를 포장하고 12개가 남았습니다. 2개의 식을 세워서 바르게 다시 포장하면 몇 봉지가 될지 구하세요.

식 1 : ______

식 2 : ______ 답 : ______ 봉지

4주차

도전! 계산왕

(두/세 자리 수)÷(두 자리 수)

계산을 하세요.

① $14\overline{)48}$

② $25\overline{)93}$

③ $30\overline{)99}$

④ $35\overline{)90}$

⑤ $24\overline{)529}$

⑥ $26\overline{)694}$

⑦ $99\overline{)700}$

⑧ $42\overline{)317}$

⑨ $11\overline{)146}$

⑩ $30\overline{)893}$

⑪ $63\overline{)867}$

⑫ $88\overline{)303}$

⑬ $44\overline{)670}$

⑭ $60\overline{)542}$

⑮ $45\overline{)378}$

⑯ $67\overline{)133}$

1일 ❷

(두/세 자리 수)÷(두 자리 수)

공부한 날	월 일
점수	/16

계산을 하세요.

① $19\overline{)64}$

② $31\overline{)64}$

③ $11\overline{)30}$

④ $13\overline{)30}$

⑤ $77\overline{)166}$

⑥ $69\overline{)817}$

⑦ $66\overline{)862}$

⑧ $45\overline{)685}$

⑨ $22\overline{)341}$

⑩ $44\overline{)960}$

⑪ $47\overline{)841}$

⑫ $84\overline{)493}$

⑬ $29\overline{)119}$

⑭ $10\overline{)686}$

⑮ $81\overline{)159}$

⑯ $68\overline{)143}$

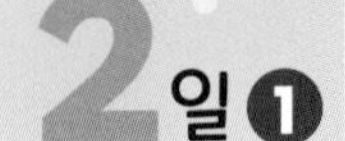

(두/세 자리 수)÷(두 자리 수)

계산을 하세요.

① $30\overline{)79}$

② $12\overline{)25}$

③ $28\overline{)84}$

④ $14\overline{)29}$

⑤ $89\overline{)228}$

⑥ $29\overline{)499}$

⑦ $44\overline{)605}$

⑧ $34\overline{)723}$

⑨ $31\overline{)695}$

⑩ $36\overline{)702}$

⑪ $21\overline{)986}$

⑫ $28\overline{)851}$

⑬ $92\overline{)860}$

⑭ $90\overline{)492}$

⑮ $32\overline{)621}$

⑯ $68\overline{)612}$

(두/세 자리 수)÷(두 자리 수)

계산을 하세요.

① $13\overline{)\,32}$

② $12\overline{)\,46}$

③ $12\overline{)\,27}$

④ $21\overline{)\,43}$

⑤ $10\overline{)\,984}$

⑥ $24\overline{)\,924}$

⑦ $23\overline{)\,854}$

⑧ $19\overline{)\,633}$

⑨ $89\overline{)\,392}$

⑩ $84\overline{)\,599}$

⑪ $59\overline{)\,988}$

⑫ $12\overline{)\,512}$

⑬ $98\overline{)\,123}$

⑭ $51\overline{)\,198}$

⑮ $78\overline{)\,800}$

⑯ $23\overline{)\,900}$

(두/세 자리 수)÷(두 자리 수)

공부한 날	월 일
점수	/16

계산을 하세요.

① $10\overline{)65}$

② $25\overline{)85}$

③ $37\overline{)92}$

④ $23\overline{)47}$

⑤ $14\overline{)848}$

⑥ $22\overline{)866}$

⑦ $82\overline{)102}$

⑧ $81\overline{)934}$

⑨ $15\overline{)143}$

⑩ $79\overline{)636}$

⑪ $21\overline{)286}$

⑫ $53\overline{)476}$

⑬ $30\overline{)258}$

⑭ $36\overline{)597}$

⑮ $10\overline{)859}$

⑯ $84\overline{)708}$

(두/세 자리 수)÷(두 자리 수)

공부한 날	월 일
점수	/16

계산을 하세요.

① $23\overline{)93}$

② $25\overline{)82}$

③ $12\overline{)27}$

④ $25\overline{)67}$

⑤ $88\overline{)251}$

⑥ $47\overline{)429}$

⑦ $51\overline{)877}$

⑧ $18\overline{)839}$

⑨ $25\overline{)613}$

⑩ $62\overline{)321}$

⑪ $16\overline{)530}$

⑫ $63\overline{)618}$

⑬ $46\overline{)899}$

⑭ $50\overline{)252}$

⑮ $74\overline{)260}$

⑯ $25\overline{)966}$

(두/세 자리 수)÷(두 자리 수)

공부한 날	월 일
점수	/16

계산을 하세요.

① $24\overline{)63}$	② $10\overline{)57}$	③ $19\overline{)95}$	④ $17\overline{)73}$
⑤ $52\overline{)942}$	⑥ $38\overline{)611}$	⑦ $61\overline{)930}$	⑧ $15\overline{)838}$
⑨ $84\overline{)432}$	⑩ $46\overline{)367}$	⑪ $68\overline{)257}$	⑫ $29\overline{)553}$
⑬ $21\overline{)627}$	⑭ $14\overline{)957}$	⑮ $66\overline{)675}$	⑯ $57\overline{)641}$

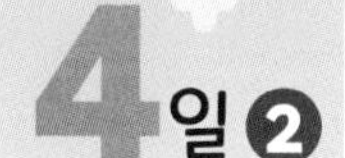

(두/세 자리 수)÷(두 자리 수)

공부한 날	월 일
점수	/16

계산을 하세요.

① $24\overline{)77}$

② $13\overline{)67}$

③ $10\overline{)78}$

④ $17\overline{)90}$

⑤ $14\overline{)142}$

⑥ $30\overline{)663}$

⑦ $36\overline{)234}$

⑧ $94\overline{)792}$

⑨ $14\overline{)544}$

⑩ $58\overline{)195}$

⑪ $79\overline{)841}$

⑫ $40\overline{)561}$

⑬ $19\overline{)215}$

⑭ $47\overline{)823}$

⑮ $14\overline{)817}$

⑯ $61\overline{)415}$

(두/세 자리 수)÷(두 자리 수)

공부한 날	월 일
점수	/16

계산을 하세요.

① $11\overline{)36}$

② $32\overline{)66}$

③ $14\overline{)37}$

④ $40\overline{)92}$

⑤ $57\overline{)393}$

⑥ $47\overline{)530}$

⑦ $74\overline{)525}$

⑧ $20\overline{)274}$

⑨ $53\overline{)126}$

⑩ $29\overline{)145}$

⑪ $70\overline{)708}$

⑫ $49\overline{)114}$

⑬ $11\overline{)365}$

⑭ $37\overline{)385}$

⑮ $37\overline{)383}$

⑯ $83\overline{)804}$

(두/세 자리 수)÷(두 자리 수)

공부한 날	월 일
점수	/16

계산을 하세요.

① $12\overline{)28}$

② $12\overline{)83}$

③ $24\overline{)53}$

④ $25\overline{)58}$

⑤ $88\overline{)317}$

⑥ $10\overline{)980}$

⑦ $37\overline{)343}$

⑧ $16\overline{)346}$

⑨ $51\overline{)305}$

⑩ $12\overline{)844}$

⑪ $13\overline{)978}$

⑫ $11\overline{)329}$

⑬ $46\overline{)198}$

⑭ $43\overline{)123}$

⑮ $85\overline{)679}$

⑯ $59\overline{)462}$

MEMO

5주차

0으로 끝나는 나눗셈

0으로 끝나는 나눗셈을 간단한 나눗셈으로 바꾸어 생각하는 연습을 합니다. 2일차에는 0으로 끝나는 두 수의 나눗셈을 한 자리 수로 나누는 나눗셈과 비교하는 연습을 하고, 3일차에는 나누어지는 수가 복잡한 나눗셈을 0으로 끝나는 나눗셈과 비교하는 연습을 합니다.

□에 알맞은 수를 써넣으세요.

개수: 10원짜리 동전 24개를 1명에게 8개씩 [3] 명에게 줍니다.

➡ 24 ÷ [8] = [3]

금액: 240원을 1명에게 80원씩 [3] 명에게 줍니다.

➡ 240 ÷ [80] = [3]

①

개수: 100원짜리 동전 20개를 1명에게 4개씩 □ 명에게 줍니다.

➡ 20 ÷ □ = □

금액: 2000원을 1명에게 400원씩 □ 명에게 줍니다.

➡ 2000 ÷ □ = □

②

개수: 천 원짜리 지폐 18장을 1명에게 3장씩 □ 명에게 줍니다.

➡ 18 ÷ □ = □

금액: 18000원을 1명에게 3000원씩 □ 명에게 줍니다.

➡ 18000 ÷ □ = □

□에 알맞은 수를 써넣으세요.

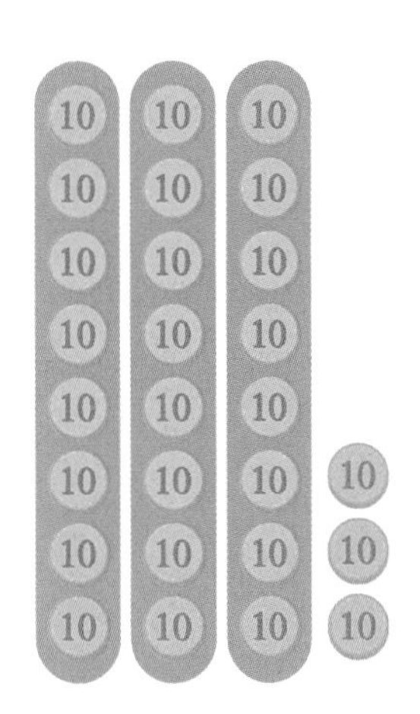

270원을 1명에게 80원씩 주면 [3] 명에게 주고

[30] 원이 남습니다.

개수 ➡ 27 ÷ [8] = [3] ··· [3]

금액 ➡ 270 ÷ [80] = [3] ··· [30]

①

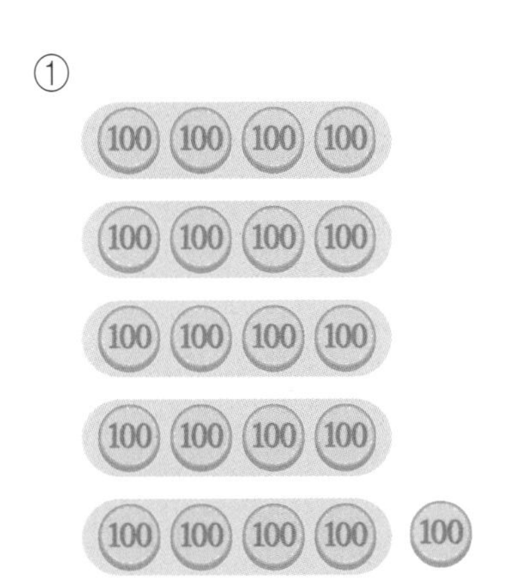

2100원을 1명에게 400원씩 주면 □ 명에게 주고

□ 원이 남습니다.

개수 ➡ 21 ÷ □ = □ ··· □

금액 ➡ 2100 ÷ □ = □ ··· □

②

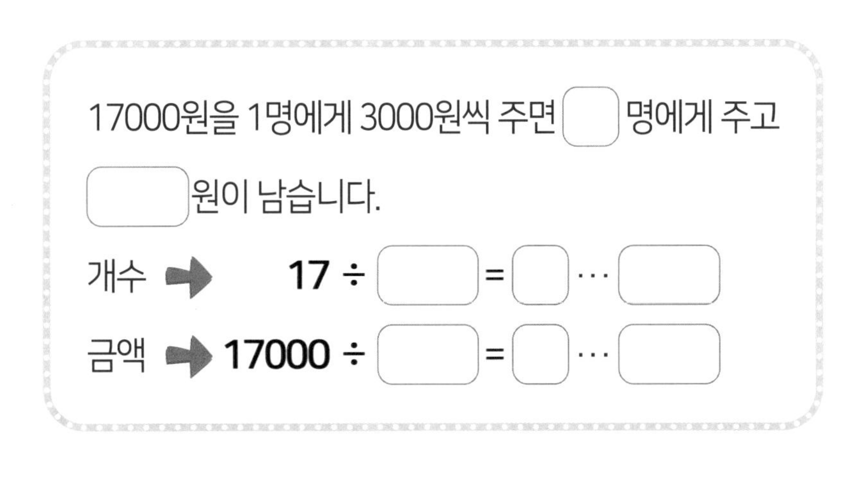

17000원을 1명에게 3000원씩 주면 □ 명에게 주고

□ 원이 남습니다.

개수 ➡ 17 ÷ □ = □ ··· □

금액 ➡ 17000 ÷ □ = □ ··· □

동전을 몇 개씩 덜어 내고 남은 동전의 개수와 금액을 구하는 과정입니다. □에 알맞은 수를 써넣으세요.

(100원짜리 동전 17개)

3개씩 5 묶음이 나오고 2 개가 남습니다.

남은 금액은 2 × 100 = 200 원입니다.

⇒ 1700 ÷ 300 = 5 ··· 200

① (10원짜리 동전 21개)

6개씩 □ 묶음이 나오고 □ 개가 남습니다.

남은 금액은 □ × □ = □ 원입니다.

⇒ 210 ÷ 60 = □ ··· □

② (100원짜리 동전 22개)

4개씩 □ 묶음이 나오고 □ 개가 남습니다.

남은 금액은 □ × □ = □ 원입니다.

⇒ 2200 ÷ 400 = □ ··· □

③ 천 원 천 원 천 원 천 원 천 원 천 원 천 원 천 원 천 원 천 원 천 원 천 원 천 원

5장씩 □ 묶음이 나오고 □ 장이 남습니다.

남은 금액은 □ × □ = □ 원입니다.

⇒ 13000 ÷ 5000 = □ ··· □

2일 한 자리 수로 나누는 나눗셈과 비교하기

세 나눗셈의 관계를 이용해서 빈 곳에 알맞은 수를 써넣으세요.

$4 \times 16 + 2 = 66 \Leftrightarrow \underline{66} \div \underline{4} = \underline{16} \cdots \underline{2}$

$40 \times 16 + 20 = 660 \Leftrightarrow \underline{660} \div \underline{40} = \underline{16} \cdots \underline{20}$

$400 \times 16 + 200 = 6600 \Leftrightarrow \underline{6600} \div \underline{400} = \underline{16} \cdots \underline{200}$

① $49 \div 8 =$ ______ ··· ______
$490 \div 80 =$ ______ ··· ______
$4900 \div 800 =$ ______ ··· ______

② $34 \div 6 =$ ______ ··· ______
$3400 \div 600 =$ ______ ··· ______
$34000 \div 6000 =$ ______ ··· ______

③ $76 \div 7 =$ ______ ··· ______
$760 \div 70 =$ ______ ··· ______
$7600 \div 700 =$ ______ ··· ______

④ $52 \div 5 =$ ______ ··· ______
$520 \div 50 =$ ______ ··· ______
$52000 \div 5000 =$ ______ ··· ______

⑤ $57 \div 9 =$ ______ ··· ______
$570 \div 90 =$ ______ ··· ______
$5700 \div 900 =$ ______ ··· ______

⑥ $40 \div 3 =$ ______ ··· ______
$4000 \div 300 =$ ______ ··· ______
$40000 \div 3000 =$ ______ ··· ______

Tip

1일차와 같이 동전을 묶는 나눗셈으로 생각합시다. 예시에서 세 식 모두 66개의 동전을 4개씩 묶는 나눗셈이지만 각각 1원짜리 동전을 묶는 나눗셈, 10원짜리 동전을 묶는 나눗셈, 100원짜리 동전을 묶는 나눗셈에 해당합니다. 똑같이 16묶음이 나오고 동전 2개가 남지만 남는 금액은 각각 2원, 20원, 200원입니다.

계산을 하세요.

① $36 \div 7 =$ ___ … ___

$360 \div 70 =$ ___ … ___

$3600 \div 700 =$ ___ … ___

② $29 \div 7 =$ ___ … ___

$2900 \div 700 =$ ___ … ___

$29000 \div 7000 =$ ___ … ___

③ $71 \div 4 =$ ___ … ___

$710 \div 40 =$ ___ … ___

$7100 \div 400 =$ ___ … ___

④ $67 \div 9 =$ ___ … ___

$6700 \div 900 =$ ___ … ___

$67000 \div 9000 =$ ___ … ___

⑤ $34 \div 5 =$ ___ … ___

$340 \div 50 =$ ___ … ___

$3400 \div 500 =$ ___ … ___

⑥ $94 \div 8 =$ ___ … ___

$940 \div 80 =$ ___ … ___

$94000 \div 8000 =$ ___ … ___

⑦ $51 \div 6 =$ ___ … ___

$510 \div 60 =$ ___ … ___

$5100 \div 600 =$ ___ … ___

⑧ $78 \div 9 =$ ___ … ___

$7800 \div 900 =$ ___ … ___

$78000 \div 9000 =$ ___ … ___

⑨ $75 \div 6 =$ ___ … ___

$750 \div 60 =$ ___ … ___

$7500 \div 600 =$ ___ … ___

⑩ $46 \div 9 =$ ___ … ___

$460 \div 90 =$ ___ … ___

$46000 \div 9000 =$ ___ … ___

주어진 식을 계산한 다음 나눗셈식의 □에 알맞은 수를 써넣으세요.

50 ÷ 7 = ____ ··· ____	91 ÷ 3 = ____ ··· ____
45 ÷ 8 = ____ ··· ____	76 ÷ 7 = ____ ··· ____
73 ÷ 9 = ____ ··· ____	35 ÷ 8 = ____ ··· ____
57 ÷ 9 = ____ ··· ____	95 ÷ 7 = ____ ··· ____
66 ÷ 5 = ____ ··· ____	39 ÷ 4 = ____ ··· ____

① 4500 ÷ 800 = □ ··· □

② 910 ÷ 30 = □ ··· □

③ 6600 ÷ 500 = □ ··· □

④ 95000 ÷ 7000 = □ ··· □

⑤ 3900 ÷ 400 = □ ··· □

⑥ 7300 ÷ 900 = □ ··· □

⑦ 35000 ÷ 8000 = □ ··· □

⑧ 5000 ÷ 700 = □ ··· □

⑨ 7600 ÷ 700 = □ ··· □

⑩ 5700 ÷ 900 = □ ··· □

세 나눗셈의 관계를 이용해서 빈 곳에 알맞은 수를 써넣으세요.

87 ÷ 6 = 14 ··· 3

8700 ÷ 600 = 14 ··· 300

+35 ↓ +35

8735 ÷ 600 = 14 ··· 335

① 49 ÷ 8 = ___ ··· ___

4900 ÷ 800 = ___ ··· ___

4957 ÷ 800 = ___ ··· ___

② 43 ÷ 6 = ___ ··· ___

43000 ÷ 6000 = ___ ··· ___

43784 ÷ 6000 = ___ ··· ___

③ 64 ÷ 9 = ___ ··· ___

6400 ÷ 900 = ___ ··· ___

6435 ÷ 900 = ___ ··· ___

④ 58 ÷ 7 = ___ ··· ___

5800 ÷ 700 = ___ ··· ___

5895 ÷ 700 = ___ ··· ___

⑤ 38 ÷ 7 = ___ ··· ___

3800 ÷ 700 = ___ ··· ___

3847 ÷ 700 = ___ ··· ___

⑥ 90 ÷ 7 = ___ ··· ___

90000 ÷ 7000 = ___ ··· ___

90254 ÷ 7000 = ___ ··· ___

Tip

예시의 나눗셈은 8735원으로 100원짜리 6개씩 몇 묶음을 만들고 얼마나 남는지 구하는 나눗셈으로 생각할 수 있습니다. 8735원은 100원짜리 동전 87개와 35원의 합이기 때문에 남는 금액은 8700원을 600원으로 나누는 나눗셈보다 35원 더 많습니다.

계산을 하세요.

① $49 \div 9 =$ ___ ⋯ ___

$4900 \div 900 =$ ___ ⋯ ___

$4927 \div 900 =$ ___ ⋯ ___

② $39 \div 8 =$ ___ ⋯ ___

$39000 \div 8000 =$ ___ ⋯ ___

$39467 \div 8000 =$ ___ ⋯ ___

③ $97 \div 8 =$ ___ ⋯ ___

$9700 \div 800 =$ ___ ⋯ ___

$9797 \div 800 =$ ___ ⋯ ___

④ $59 \div 6 =$ ___ ⋯ ___

$59000 \div 6000 =$ ___ ⋯ ___

$59495 \div 6000 =$ ___ ⋯ ___

⑤ $43 \div 6 =$ ___ ⋯ ___

$4300 \div 600 =$ ___ ⋯ ___

$4372 \div 600 =$ ___ ⋯ ___

⑥ $11 \div 3 =$ ___ ⋯ ___

$11000 \div 3000 =$ ___ ⋯ ___

$11354 \div 3000 =$ ___ ⋯ ___

⑦ $36 \div 8 =$ ___ ⋯ ___

$3600 \div 800 =$ ___ ⋯ ___

$3646 \div 800 =$ ___ ⋯ ___

⑧ $9 \div 4 =$ ___ ⋯ ___

$9000 \div 4000 =$ ___ ⋯ ___

$9547 \div 4000 =$ ___ ⋯ ___

⑨ $38 \div 9 =$ ___ ⋯ ___

$3800 \div 900 =$ ___ ⋯ ___

$3845 \div 900 =$ ___ ⋯ ___

⑩ $94 \div 7 =$ ___ ⋯ ___

$94000 \div 7000 =$ ___ ⋯ ___

$94543 \div 7000 =$ ___ ⋯ ___

몫이 같은 나눗셈을 선으로 연결하고, 몫과 나머지를 구하세요.

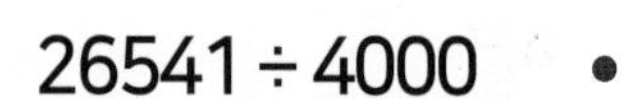

26541 ÷ 4000 •

몫 ______

나머지 ______

• 46 ÷ 8

몫 ______

나머지 ______

3734 ÷ 500 •

몫 ______

나머지 ______

• 70 ÷ 8

몫 ______

나머지 ______

46380 ÷ 8000 •

몫 ______

나머지 ______

• 26 ÷ 4

몫 ______

나머지 ______

4387 ÷ 400 •

몫 ______

나머지 ______

• 37 ÷ 5

몫 ______

나머지 ______

7039 ÷ 800 •

몫 ______

나머지 ______

• 43 ÷ 4

몫 ______

나머지 ______

나누는 수가 0으로 끝나는 나눗셈

공부한 날 월 일

계산을 하세요.

① $76000 \div 4000 =$

② $40400 \div 8000 =$

③ $4821 \div 600 =$

④ $9500 \div 700 =$

⑤ $34000 \div 5000 =$

⑥ $85005 \div 9000 =$

⑦ $93000 \div 7000 =$

⑧ $26300 \div 4000 =$

⑨ $6360 \div 700 =$

⑩ $91000 \div 7000 =$

⑪ $36047 \div 5000 =$

⑫ $87250 \div 3000 =$

계산을 하세요.

① $84000 \div 6000 =$

② $35054 \div 7000 =$

③ $5836 \div 700 =$

④ $9800 \div 600 =$

⑤ $54112 \div 5000 =$

⑥ $36300 \div 4000 =$

⑦ $29000 \div 3000 =$

⑧ $34521 \div 5000 =$

⑨ $7405 \div 900 =$

⑩ $11000 \div 4000 =$

⑪ $7600 \div 400 =$

⑫ $65352 \div 8000 =$

계산 결과에 알맞게 선을 이어 보세요.

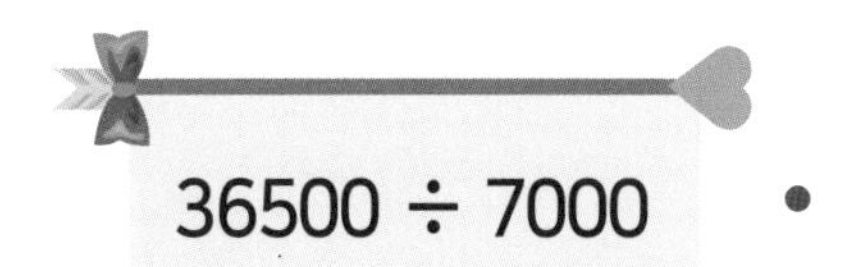
36500 ÷ 7000

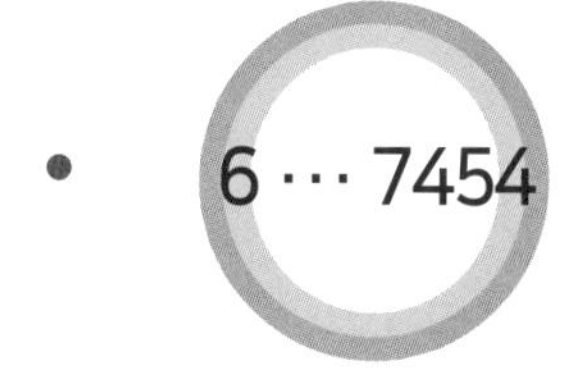
6 ··· 7454

2958 ÷ 500

13

55454 ÷ 8000

3 ··· 808

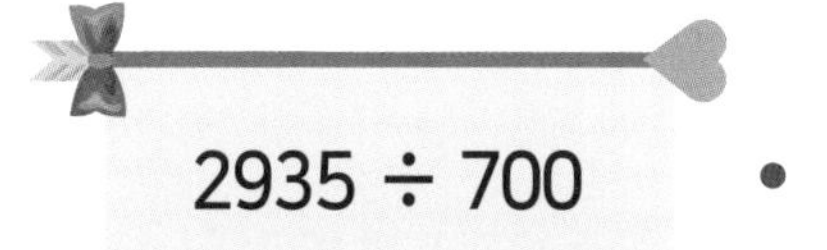
2935 ÷ 700

4 ··· 135

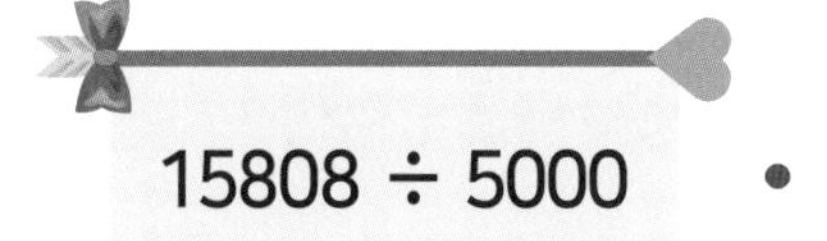
15808 ÷ 5000

16

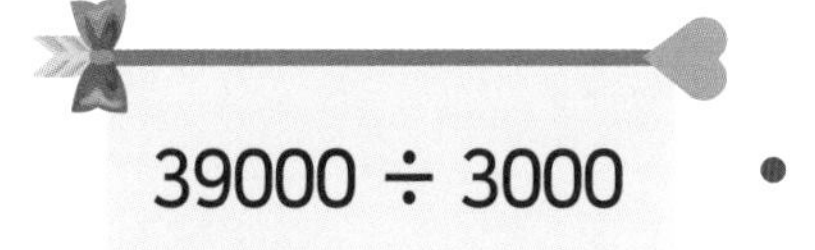
39000 ÷ 3000

5 ··· 458

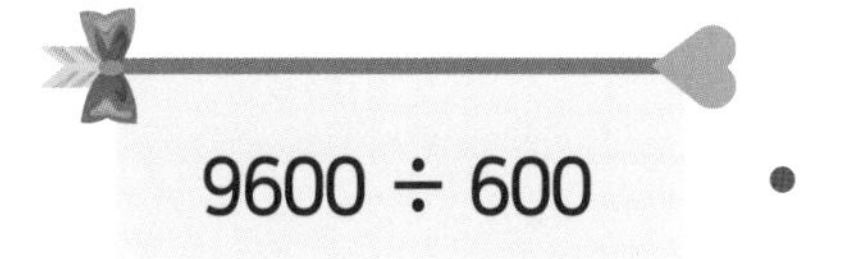
9600 ÷ 600

5 ··· 1500

연산 퍼즐

월 일

잘못 계산한 것을 찾아 바르게 계산하세요.

$93000 \div 5000 = 18 \cdots 3$

$6700 \div 700 = 9 \cdots 400$

$79000 \div 9000 = 8 \cdots 7000$

$6235 \div 600 = 10 \cdots 35$

$37554 \div 8000 = 4 \cdots 5554$

$15770 \div 5000 = 3 \cdots 770$

$78000 \div 6000 = 13$

$8500 \div 500 = 1700$

$56000 \div 7000 = 8$

$1111 \div 300 = 3 \cdots 211$

$45555 \div 9000 = 5 \cdots 555$

$8035 \div 3000 = 26 \cdots 235$

나머지가 가장 큰 나눗셈에 ◯표, 몫이 가장 큰 나눗셈에 △표 하세요.

$39100 \div 4000$	$8198 \div 500$
$57055 \div 6000$	$3987 \div 700$

$2800 \div 500$	$5757 \div 600$
$84295 \div 9000$	$65365 \div 5000$

$40100 \div 3000$	$4991 \div 500$
$84011 \div 6000$	$6800 \div 700$

$81011 \div 9000$	$6525 \div 700$
$78005 \div 8000$	$6700 \div 300$

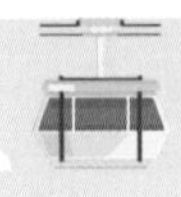

나눗셈의 몫을 찾아 집으로 가는 길을 그리세요.

6주차

도전! 계산왕

0으로 끝나는 나눗셈

공부한 날	월 일
점수	/16

계산을 하세요.

① $63000 \div 7000 =$

② $10045 \div 5000 =$

③ $74000 \div 6000 =$

④ $7280 \div 600 =$

⑤ $6772 \div 300 =$

⑥ $57000 \div 3000 =$

⑦ $92000 \div 9000 =$

⑧ $88100 \div 4000 =$

⑨ $8700 \div 400 =$

⑩ $76000 \div 7000 =$

⑪ $48047 \div 5000 =$

⑫ $7263 \div 800 =$

⑬ $10854 \div 5000 =$

⑭ $5000 \div 700 =$

⑮ $57900 \div 8000 =$

⑯ $42032 \div 3000 =$

0으로 끝나는 나눗셈

공부한 날	월 일
점수	/16

계산을 하세요.

① 18400 ÷ 8000 =

② 9400 ÷ 500 =

③ 6365 ÷ 700 =

④ 79005 ÷ 9000 =

⑤ 59000 ÷ 9000 =

⑥ 12098 ÷ 4000 =

⑦ 11823 ÷ 3000 =

⑧ 84000 ÷ 7000 =

⑨ 50000 ÷ 3000 =

⑩ 80092 ÷ 2000 =

⑪ 7300 ÷ 400 =

⑫ 72100 ÷ 9000 =

⑬ 30643 ÷ 5000 =

⑭ 9360 ÷ 600 =

⑮ 96000 ÷ 8000 =

⑯ 22032 ÷ 5000 =

0으로 끝나는 나눗셈

공부한 날	월 일
점수	/16

계산을 하세요.

① $7340 \div 500 =$

② $50000 \div 8000 =$

③ $72501 \div 8000 =$

④ $7700 \div 500 =$

⑤ $57250 \div 8000 =$

⑥ $65012 \div 5000 =$

⑦ $21000 \div 4000 =$

⑧ $9400 \div 700 =$

⑨ $91000 \div 7000 =$

⑩ $40019 \div 2000 =$

⑪ $46769 \div 8000 =$

⑫ $60000 \div 7000 =$

⑬ $8900 \div 900 =$

⑭ $7790 \div 500 =$

⑮ $43120 \div 6000 =$

⑯ $68000 \div 4000 =$

0으로 끝나는 나눗셈

공부한 날	월 일
점수	/16

계산을 하세요.

① 83000 ÷ 5000 =

② 21000 ÷ 4000 =

③ 66067 ÷ 2000 =

④ 6625 ÷ 300 =

⑤ 84040 ÷ 4000 =

⑥ 11984 ÷ 3000 =

⑦ 8700 ÷ 900 =

⑧ 50000 ÷ 3000 =

⑨ 70114 ÷ 5000 =

⑩ 91739 ÷ 7000 =

⑪ 81000 ÷ 3000 =

⑫ 5600 ÷ 300 =

⑬ 56612 ÷ 9000 =

⑭ 80087 ÷ 8000 =

⑮ 44000 ÷ 8000 =

⑯ 9200 ÷ 400 =

0으로 끝나는 나눗셈

공부한 날	월 일
점수	/16

계산을 하세요.

① $6400 \div 700 =$

② $7575 \div 600 =$

③ $51000 \div 6000 =$

④ $8253 \div 200 =$

⑤ $93000 \div 8000 =$

⑥ $15780 \div 5000 =$

⑦ $2900 \div 800 =$

⑧ $81000 \div 7000 =$

⑨ $66013 \div 6000 =$

⑩ $8571 \div 500 =$

⑪ $78000 \div 3000 =$

⑫ $10002 \div 2000 =$

⑬ $28771 \div 4000 =$

⑭ $86000 \div 9000 =$

⑮ $54300 \div 7000 =$

⑯ $7517 \div 300 =$

0으로 끝나는 나눗셈

공부한 날	월 일
점수	/16

계산을 하세요.

① 28000 ÷ 6000 =

② 6601 ÷ 300 =

③ 49000 ÷ 3000 =

④ 81000 ÷ 3000 =

⑤ 8562 ÷ 400 =

⑥ 58020 ÷ 5000 =

⑦ 8000 ÷ 500 =

⑧ 18090 ÷ 6000 =

⑨ 78000 ÷ 7000 =

⑩ 6581 ÷ 500 =

⑪ 12012 ÷ 4000 =

⑫ 93000 ÷ 7000 =

⑬ 5800 ÷ 800 =

⑭ 54035 ÷ 9000 =

⑮ 84910 ÷ 6000 =

⑯ 2700 ÷ 500 =

4일 ❶

0으로 끝나는 나눗셈

공부한 날	월 일
점수	/16

계산을 하세요.

① $80261 \div 4000 =$

② $5500 \div 600 =$

③ $76000 \div 5000 =$

④ $60000 \div 7000 =$

⑤ $7690 \div 400 =$

⑥ $20091 \div 5000 =$

⑦ $5782 \div 700 =$

⑧ $11000 \div 3000 =$

⑨ $72000 \div 2000 =$

⑩ $91000 \div 7000 =$

⑪ $6000 \div 800 =$

⑫ $3681 \div 800 =$

⑬ $52010 \div 4000 =$

⑭ $9300 \div 600 =$

⑮ $77890 \div 7000 =$

⑯ $82005 \div 9000 =$

0으로 끝나는 나눗셈

공부한 날	월 일
점수	/16

계산을 하세요.

① 84040 ÷ 7000 =

② 2781 ÷ 600 =

③ 40028 ÷ 5000 =

④ 62000 ÷ 5000 =

⑤ 8405 ÷ 400 =

⑥ 6730 ÷ 700 =

⑦ 8900 ÷ 600 =

⑧ 29812 ÷ 3000 =

⑨ 21000 ÷ 4000 =

⑩ 9500 ÷ 500 =

⑪ 62951 ÷ 8000 =

⑫ 7600 ÷ 600 =

⑬ 30100 ÷ 8000 =

⑭ 9000 ÷ 8000 =

⑮ 5982 ÷ 700 =

⑯ 70000 ÷ 3000 =

0으로 끝나는 나눗셈

공부한 날	월 일
점수	/16

계산을 하세요.

① 65098 ÷ 8000 =

② 6000 ÷ 700 =

③ 7300 ÷ 300 =

④ 44522 ÷ 5000 =

⑤ 52051 ÷ 4000 =

⑥ 5900 ÷ 800 =

⑦ 7077 ÷ 900 =

⑧ 92000 ÷ 6000 =

⑨ 35043 ÷ 5000 =

⑩ 9800 ÷ 800 =

⑪ 65011 ÷ 8000 =

⑫ 29005 ÷ 7000 =

⑬ 42110 ÷ 7000 =

⑭ 9000 ÷ 600 =

⑮ 15000 ÷ 7000 =

⑯ 87000 ÷ 3000 =

0으로 끝나는 나눗셈

공부한 날	월 일
점수	/16

계산을 하세요.

① $5521 \div 500 =$

② $1900 \div 400 =$

③ $24400 \div 4000 =$

④ $28301 \div 7000 =$

⑤ $63022 \div 3000 =$

⑥ $6721 \div 800 =$

⑦ $9800 \div 400 =$

⑧ $87000 \div 3000 =$

⑨ $52134 \div 5000 =$

⑩ $76004 \div 9000 =$

⑪ $40700 \div 8000 =$

⑫ $4726 \div 400 =$

⑬ $5530 \div 300 =$

⑭ $94000 \div 2000 =$

⑮ $36054 \div 4000 =$

⑯ $48900 \div 3000 =$

MEMO

우리 아이 첫 수학은

유자수 가 답이다

보드마카와
붙임 딱지로
즐겁게

내 아이에게
딱 맞는
엄마표 문제

재미있게
스스로
반복학습

방송에서 화제가 된 바로 그 교재!

생각과 자신감이 커지는 유아 자신감 수학 !

방송 영상

유자수 소개 영상

실력도 탑! 재미도 탑!

사고력 수학의 으뜸!

TOP 사고력 수학

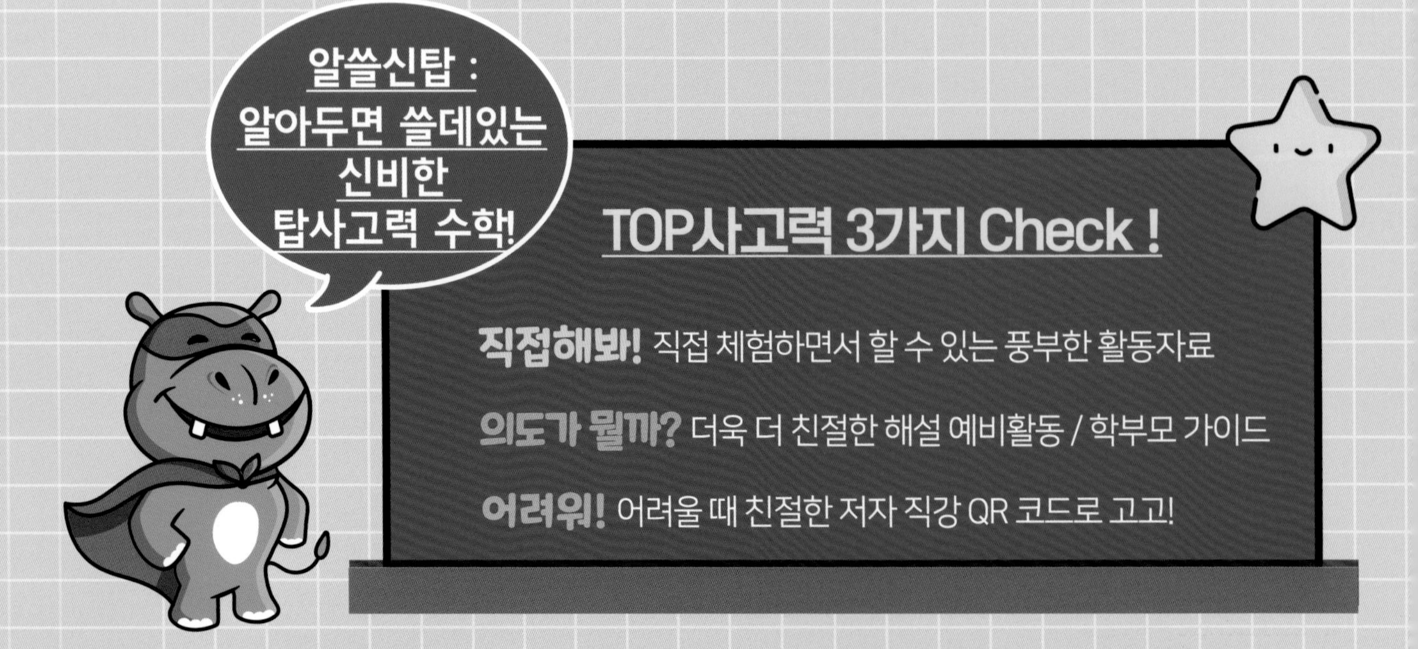

교과 과정
완벽 대비

원리셈

천종현 지음

4학년 2

큰 수의 나눗셈

천종현수학연구소

총괄 테스트 정답

총괄 테스트

이름 점수

01 나눗셈을 할 때 관계있는 곱셈식에 ○표 하고, 나눗셈을 하세요.

① 18 × 3 = 54, (18 × 4 = 72)○, 18 × 5 = 90 — 18)72 → 4

② (23 × 2 = 46)○, 23 × 3 = 69, 23 × 4 = 92 — 23)46 → 2

02 □에 들어갈 수 있는 가장 큰 자연수를 써넣으세요.

① 46 × [2] < 98 ② 13 × [5] < 70

③ 17 × [4] < 80 ④ 32 × [3] < 99

03 나눗셈을 할 때 관계있는 곱셈식에 ○표 하고, 나눗셈을 하세요.

① 58 × 3 = 174, (58 × 4 = 232)○, 58 × 5 = 290 — 58)250 → 4…18

② 39 × 7 = 273, 39 × 8 = 312, (39 × 9 = 351)○ — 39)360 → 9…9

04 화살표 방향으로 수를 나누어 □에 몫을, ○에 나머지를 써넣으세요.

253, 32, 16 → 7, 29 / 15, 13

425, 93, 27 → 4, 53 / 15, 20

05 ★이 나타내는 수를 구하세요.

① 26 × ★ + 25 = 753 ★ = 28 ② 28 × ★ = 532 ★ = 19

③ 26 × ★ = 390 ★ = 15 ④ 17 × ★ + 9 = 553 ★ = 32

06 ▲이 나타내는 수를 구하세요.

① ▲ ÷ 21 = 27 … 13 ▲ = 580 ② 713 ÷ ▲ = 18 … 11 ▲ = 39

③ ▲ ÷ 19 = 20 … 13 ▲ = 393 ④ 594 ÷ ▲ = 21 … 6 ▲ = 28

07 계산을 하세요.

① 17)89 → 5…4 ② 34)573 → 16…29 ③ 17)481 → 28…5

08 세 나눗셈의 관계를 이용해서 빈 곳에 알맞은 수를 써넣으세요.

① 74 ÷ 5 = 14 … 4
740 ÷ 50 = 14 … 40
7400 ÷ 500 = 14 … 400

② 49 ÷ 8 = 6 … 1
4900 ÷ 800 = 6 … 100
4913 ÷ 800 = 6 … 113

09 계산을 하세요.

① 75000 ÷ 6000 = 12…3000 ② 8723 ÷ 500 = 17…223

③ 3900 ÷ 400 = 9…300 ④ 46145 ÷ 9000 = 5…1145

10 계산을 하세요.

① 23)95 → 4…3 ② 91)735 → 8…7 ③ 64)953 → 14…57

11 나눗셈을 할 때 관계있는 곱셈식에 ○표 하고, 나눗셈을 하세요.

① 21 × 2 = 42, (21 × 3 = 63)○, 21 × 4 = 84 — 21)70 → 3…7

② 32 × 1 = 32, 32 × 2 = 64, (32 × 3 = 96)○ — 32)99 → 3…3

12 나눗셈을 할 때 관계있는 곱셈식에 ○표 하고, 나눗셈을 하세요.

① 78 × 2 = 156, (78 × 3 = 234)○, 78 × 4 = 312 — 78)240 → 3…6

② (50 × 4 = 200)○, 50 × 5 = 250, 50 × 6 = 300 — 50)214 → 4…14

13 화살표 방향으로 수를 나누어 □에 몫을, ○에 나머지를 써넣으세요.

345, 45, 17 → 7, 30 / 20, 5

754, 96, 34 → 7, 82 / 22, 6

14 ★이 나타내는 수를 구하세요.

① 23 × ★ + 12 = 541 ★ = 23 ② 22 × ★ = 946 ★ = 43

③ 49 × ★ = 931 ★ = 19 ④ 37 × ★ + 16 = 645 ★ = 17

15 계산을 하세요.

① 31)75 → 2…13 ② 46)641 → 13…43 ③ 85)753 → 8…73

16 ▲이 나타내는 수를 구하세요.

① ▲ ÷ 37 = 24 … 30 ▲ = 918 ② 495 ÷ ▲ = 18 … 9 ▲ = 27

③ ▲ ÷ 83 = 8 … 11 ▲ = 675 ④ 157 ÷ ▲ = 8 … 5 ▲ = 19

17 계산을 하세요.

① 21)99 → 4…15 ② 57)563 → 9…50 ③ 24)834 → 34…18

18 세 나눗셈의 관계를 이용해서 빈 곳에 알맞은 수를 써넣으세요.

① 89 ÷ 6 = 14 … 5
890 ÷ 60 = 14 … 50
8900 ÷ 600 = 14 … 500

② 27 ÷ 7 = 3 … 6
2700 ÷ 700 = 3 … 600
2798 ÷ 700 = 3 … 698

19 계산을 하세요.

① 34000 ÷ 7000 = 4…6000 ② 5684 ÷ 900 = 6…284

③ 3600 ÷ 800 = 4…400 ④ 87553 ÷ 6000 = 14…3553

20 같은 줄에서 나머지가 가장 큰 나눗셈에 ○표, 몫이 가장 큰 나눗셈에 △표 하세요.

(24923 ÷ 5000)○ 3298 ÷ 900 (1726 ÷ 300)△

49000 ÷ 7000 (5975 ÷ 400)△ (5859 ÷ 600)○

10쪽

① 8, 240 ÷ 30 = 8
② 9, 450 ÷ 50 = 9 ③ 7, 630 ÷ 90 = 7
④ 9, 540 ÷ 60 = 9 ⑤ 8, 640 ÷ 80 = 8
⑥ 7, 490 ÷ 70 = 7 ⑦ 8, 400 ÷ 50 = 8
⑧ 9, 720 ÷ 80 = 9 ⑨ 9, 180 ÷ 20 = 9
⑩ 6, 240 ÷ 40 = 6 ⑪ 9, 270 ÷ 30 = 9
⑫ 5, 350 ÷ 70 = 5 ⑬ 5, 100 ÷ 20 = 5

11쪽

① (30 × 3 = 90) / 30 × 4 = 120 / 30 × 5 = 150 / 30 × 6 = 180
3
25
3, 25

② 60 × 6 = 360 / 60 × 7 = 420 / (60 × 8 = 480) / 60 × 9 = 540
8
20
8, 20

③ 80 × 4 = 320 / (80 × 5 = 400) / 80 × 6 = 480 / 80 × 7 = 560
5
25
5, 25

④ (70 × 5 = 350) / 70 × 6 = 420 / 70 × 7 = 490 / 70 × 8 = 560
5
30
5, 30

12쪽

① 6, 360, 52 ② 3, 60, 16 ③ 4, 80, 6
④ 7, 630, 7 ⑤ 2, 80, 18 ⑥ 5, 250, 11 ⑦ 4, 120, 27
⑧ 6, 480, 40 ⑨ 4, 280, 54 ⑩ 6, 180, 3 ⑪ 9, 450, 11
⑫ 4, 240, 28 ⑬ 5, 450, 9 ⑭ 2, 140, 21 ⑮ 2, 180, 16

13쪽

64
0
42
0

① 17 × 2 = 34 / 17 × 3 = 51 / (17 × 4 = 68)
4
68
0

② 23 × 2 = 46 / (23 × 3 = 69) / 23 × 4 = 92
3
69
0

③ (19 × 3 = 57) / 19 × 4 = 76 / 19 × 5 = 95
3
57
0

④ 15 × 4 = 60 / (15 × 5 = 75) / 15 × 6 = 90
5
75
0

14쪽

84
3
30
11

① 16 × 3 = 48 / (16 × 4 = 64) / 16 × 5 = 80
4
64
8

② (18 × 3 = 54) / 18 × 4 = 72 / 18 × 5 = 90
3
54
14

③ 24 × 2 = 48 / (24 × 3 = 72) / 24 × 4 = 96
3
72
23

④ (14 × 5 = 70) / 14 × 6 = 84 / 14 × 7 = 98
5
70
12

15쪽

① 5, 80, 0 ② 2, 38, 16 ③ 3, 39, 7 ④ 2, 52, 15
⑤ 3, 72, 0 ⑥ 4, 72, 16 ⑦ 5, 85, 0 ⑧ 5, 70, 4
⑨ 4, 92, 0 ⑩ 5, 70, 8 ⑪ 2, 32, 13 ⑫ 5, 80, 13
⑬ 6, 78, 12 ⑭ 3, 36, 11 ⑮ 5, 75, 1 ⑯ 2, 42, 11

16쪽

① 3 ② 4 ③ 3
④ 5 ⑤ 2 ⑥ 5
⑦ 4 ⑧ 7 ⑨ 2

① 3 ② 2 ③ 3
④ 4 ⑤ 3 ⑥ 3
⑦ 5 ⑧ 3 ⑨ 5

17쪽

①	②	③	④
2	6	2	2
64	84	52	26
28	9	11	12

⑤	⑥	⑦	⑧
5	3	7	2
95	51	84	74
1	13	2	15

⑨	⑩	⑪	⑫
4	2	4	4
60	62	96	48
0	7	0	7

⑬	⑭	⑮	⑯
3	6	1	5
39	66	35	65
10	4	33	6

18쪽

①	②	③	④
3	1	2	3
57	41	74	72
13	39	14	10

⑤	⑥	⑦	⑧
3	4	4	6
48	72	84	84
14	0	0	2

⑨	⑩	⑪	⑫
2	2	5	3
34	48	65	33
3	8	1	3

⑬	⑭	⑮	⑯
5	5	1	3
70	75	25	87
8	0	23	6

19쪽

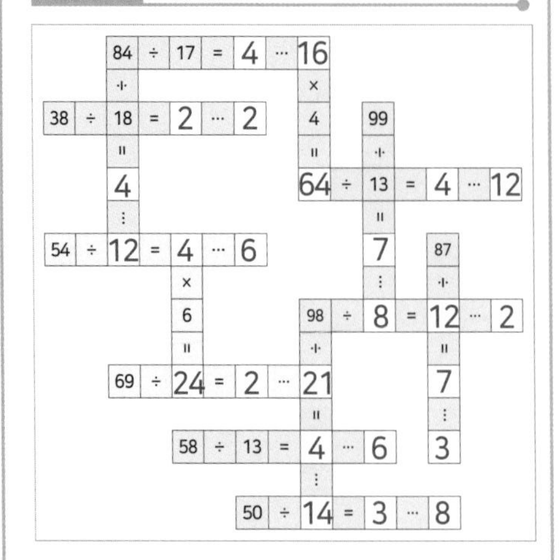

20쪽

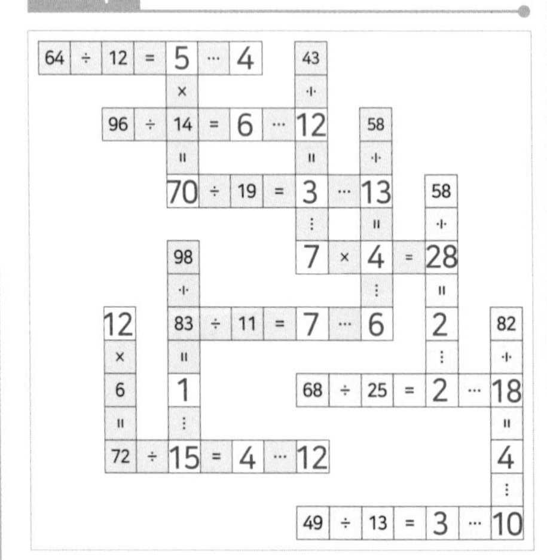

21쪽

① 4, 12 ② 6, 5
③ 3, 4 ④ 4, 7
⑤ 3, 17 ⑥ 2, 14
⑦ 4, 10 ⑧ 7, 5

22쪽

① 84÷13=6…6, 6, 6
13×6+6=84

② 7

③ 96÷22=4…8, 5
22×4+8=96

23쪽

① 69÷15=4…9, 5
15×4+9=69

② 80÷18=4…8, 6
18×4+8=80

③ 80÷14=5…10, 5
14×5+10=80

④ 58÷12=4…10, 4
12×4+10=58

24쪽

① 68÷16=4…4, 4
16×4+4=68

② 76÷24=3…4, 1월 4일 오후4시
24×3+4=76

③ 92÷24=3…20, 3월 5일 오전8시
24×3+20=92

④ 50÷16=3…2, 12월 27일
16×3+2=50

(3월 4일 낮 12시에서 20시간 후이므로

2주차 - (세 자리 수)÷(두 자리 수)

26쪽

① 7 ② 6 ③ 8
④ 6 ⑤ 3 ⑥ 6
⑦ 7 ⑧ 8 ⑨ 7

266
21
280
25

27쪽

① $44 \times 6 = 264$, $44 \times 7 = 308$, $44 \times 8 = 352$ / 7, 308, 40

② $56 \times 6 = 336$, $56 \times 7 = 392$, $56 \times 8 = 448$ / 7, 392, 24

③ $94 \times 7 = 658$, $94 \times 8 = 752$, $94 \times 9 = 846$ / 7, 658, 44

④ $85 \times 5 = 425$, $85 \times 6 = 510$, $85 \times 7 = 595$ / 6, 510, 29

⑤ $51 \times 7 = 357$, $51 \times 8 = 408$, $51 \times 9 = 459$ / 7, 357, 33

⑥ $39 \times 6 = 234$, $39 \times 7 = 273$, $39 \times 8 = 312$ / 6, 234, 34

⑦ $73 \times 7 = 511$, $73 \times 8 = 584$, $73 \times 9 = 657$ / 8, 584, 65

⑧ $89 \times 5 = 445$, $89 \times 6 = 534$, $89 \times 7 = 623$ / 5, 445, 65

28쪽

① 7, 315, 11 ② 4, 104, 24 ③ 6, 342, 52

④ 7, 434, 46 ⑤ 4, 216, 13 ⑥ 3, 216, 45 ⑦ 2, 148, 16

⑧ 9, 864, 8 ⑨ 5, 235, 33 ⑩ 8, 280, 3 ⑪ 7, 686, 16

⑫ 5, 245, 3 ⑬ 8, 728, 11 ⑭ 3, 249, 21 ⑮ 4, 164, 4

29쪽

① 41 ② 20 ③ 24

④ 20 ⑤ 23 ⑥ 32

⑦ 28 ⑧ 23 ⑨ 18

46
92
10

30쪽

① $18 \times 30 = 540$, $18 \times 40 = 720$, $18 \times 4 = 72$, $18 \times 5 = 90$ / 35, 54, 95, 90, 5

② $24 \times 20 = 480$, $24 \times 30 = 720$, $24 \times 2 = 48$, $24 \times 3 = 72$ / 22, 48, 69, 48, 21

③ $14 \times 30 = 420$, $14 \times 40 = 560$, $14 \times 7 = 98$, $14 \times 8 = 112$ / 37, 42, 106, 98, 8

④ $26 \times 20 = 520$, $26 \times 30 = 780$, $26 \times 5 = 130$, $26 \times 6 = 156$ / 25, 52, 152, 130, 22

⑤ $19 \times 20 = 380$, $19 \times 30 = 570$, $19 \times 5 = 95$, $19 \times 6 = 114$ / 25, 38, 108, 95, 13

⑥ $16 \times 40 = 640$, $16 \times 50 = 800$, $16 \times 7 = 112$, $16 \times 8 = 128$ / 47, 64, 120, 112, 8

⑦ $12 \times 50 = 600$, $12 \times 60 = 720$, $12 \times 8 = 96$, $12 \times 9 = 108$ / 58, 60, 98, 96, 2

31쪽

① 28, 38, 166, 152, 14 ② 35, 39, 72, 65, 7 ③ 32, 45, 33, 30, 3

④ 27, 52, 184, 182, 2 ⑤ 38, 39, 105, 104, 1 ⑥ 26, 64, 205, 192, 13 ⑦ 23, 70, 115, 105, 10

⑧ 44, 48, 53, 48, 5 ⑨ 54, 80, 71, 64, 7 ⑩ 27, 50, 180, 175, 5 ⑪ 52, 55, 25, 22, 3

32쪽

① 31, 45, 23, 15, 8 ② 22, 46, 48, 46, 2

③ 29, 28, 138, 126, 12 ④ 53, 60, 45, 36, 9

⑤ 27, 70, 252, 245, 7 ⑥ 31, 78, 51, 26, 25

⑦ 17, 42, 326, 294, 32 ⑧ 21, 58, 40, 29, 11

33쪽

① 28, 32, 142, 128, 14 ② 14, 42, 187, 168, 19

③ 20, 38, 14 ④ 32, 78, 72, 52, 20

⑤ 16, 36, 224, 216, 8 ⑥ 24, 52, 129, 104, 25

⑦ 56, 75, 100, 90, 10 ⑧ 29, 28, 139, 126, 13

34쪽

① 32, 54, 40, 36, 4 ② 38, 66, 192, 176, 16 ③ 30, 93, 13 ④ 16, 29, 193, 174, 19

⑤ 36, 51, 105, 102, 3 ⑥ 36, 39, 89, 78, 11 ⑦ 30, 69, 0 ⑧ 22, 70, 95, 70, 25

⑨ 27, 54, 203, 189, 14 ⑩ 23, 56, 97, 84, 13 ⑪ 21, 72, 55, 36, 19 ⑫ 47, 48, 94, 84, 10

35쪽

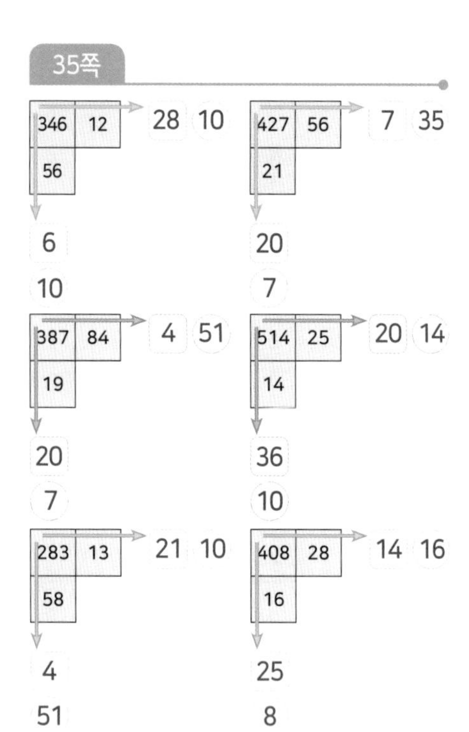

36쪽

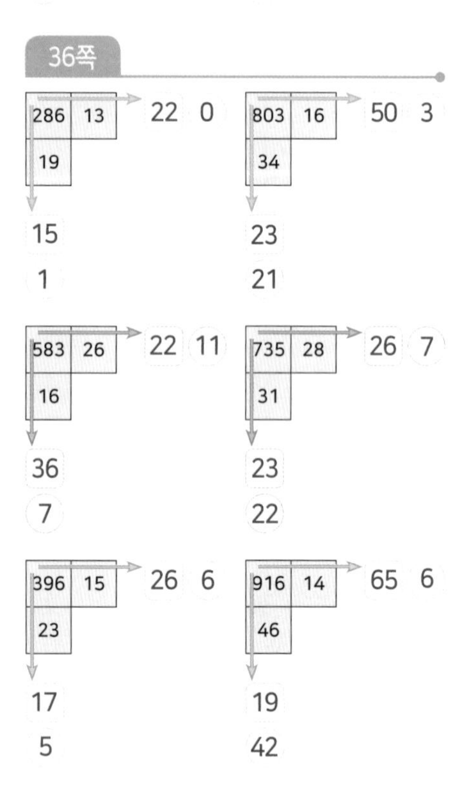

37쪽

8	31	8
33	33	9
25	27	25

0	13	11
11	5	14
24	7	2

38쪽

① 500÷24=20…20, 20, 20
24×20+20=500

② 21

③ 580÷19=30…10, 10
19×30+10=580

39쪽

① 238÷16=14…14, 15
16×14+14=238

② 356÷24=14…20, 20
24×14+20=356

③ 452÷32=14…4, 14
32×14+4=452

④ 480÷16=30, 30
16×30=480

40쪽

① 486÷26=18…18, 19
26×18+18=486

② 390÷24=16…6, 3월 17일 오후6시
24×16+6=390

③ 546÷24=22…18, 5월 28일 오전6시
24×22+18=546

(5월 27일 낮 12시에서 18시간 후이므로)

④ 246÷14=17…8, 18
14×17+8=246

3주차 - □ 구하기

42쪽

① 592÷16=37
② 406÷14=29 ③ 256÷32=8
④ 731÷17=43 ⑤ 728÷26=28
⑥ 897÷13=69 ⑦ 384÷48=8
⑧ 969÷19=51 ⑨ 871÷67=13

43쪽

① (463-15)÷28=16
② (841-5)÷22=38 ③ (843-11)÷16=52
④ (302-13)÷17=17 ⑤ (470-2)÷12=39
⑥ (353-35)÷53=6 ⑦ (711-27)÷38=18
⑧ (554-14)÷15=36 ⑨ (173-38)÷45=3

44쪽

① 23
② 9 ③ 11 ④ 16
⑤ 20 ⑥ 21 ⑦ 9
⑧ 38 ⑨ 14 ⑩ 37

45쪽

① 32×28=896
② 58×6=348 ③ 14×59=826
④ 12×32=384 ⑤ 41×22=902
⑥ 19×49=931 ⑦ 85×7=595
⑧ 37×24=888 ⑨ 15×63=945

46쪽

① 15×43+8=653
② 27×29+23=806
③ 32×24+7=775
④ 74×8+59=651
⑤ 18×44+15=807
⑥ 31×25+25=800
⑦ 68×9+64=676
⑧ 14×46+2=646
⑨ 36×27+14=986

47쪽

① 320 ② 313
③ 284 ④ 203
⑤ 284 ⑥ 362
⑦ 230 ⑧ 260

48쪽

① 494÷26=19
② 884÷17=52
③ 736÷46=16
④ 715÷13=55
⑤ 444÷37=12
⑥ 756÷27=28
⑦ 966÷42=23
⑧ 465÷15=31
⑨ 494÷19=26

49쪽

① (473-23)÷18=25
② (509-5)÷14=36
③ (748-20)÷26=28
④ (680-4)÷52=13
⑤ (497-1)÷62=8
⑥ (830-11)÷21=39
⑦ (507-3)÷84=6
⑧ (730-16)÷42=17
⑨ (833-8)÷33=25

50쪽

① 7 ② 18
③ 15 ④ 5
⑤ 22 ⑥ 27
⑦ 25 ⑧ 19

51쪽

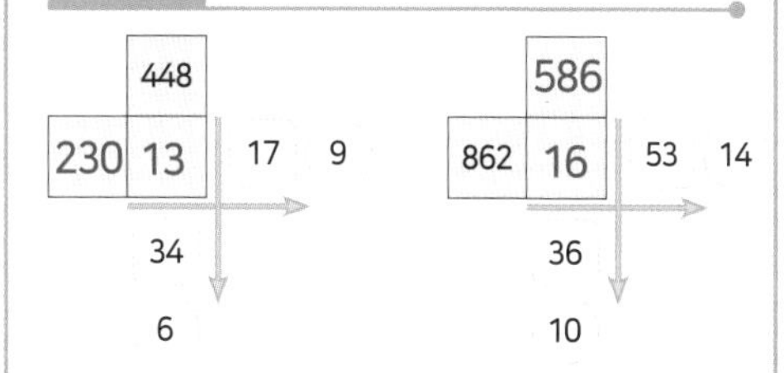

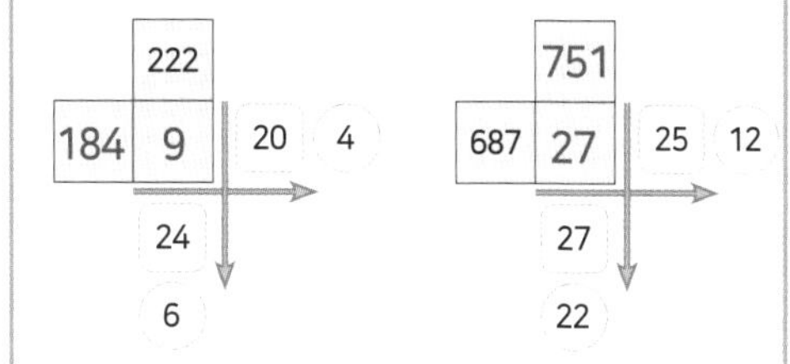

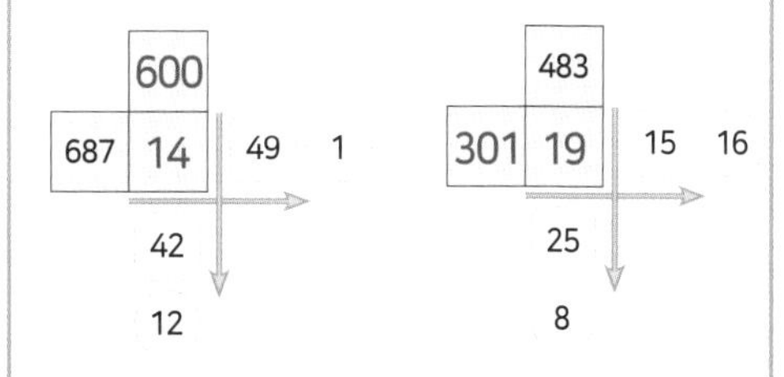

52쪽

460 ÷ 16 = 28 ⋯ 12
183 ÷ 84 = 2 ⋯ 15
235 ÷ 16 = 14 ⋯ 11
2 × 13 + 7 = 33
41 × 13 + 10 = 543
28 × 14 + 7 = 399
399 ÷ 20 = 19 ⋯ 19
20 × 33 = 660
660 ÷ 38 = 17 ⋯ 14
368 ÷ 19 = 19 ⋯ 7
368 ÷ 47 = 7 ⋯ 39
625 ÷ 19 = 32 ⋯ 17
576 ÷ 74 = 7 ⋯ 58
874 ÷ 39 = 22 ⋯ 16

53쪽

431	282	262
607	431	797
868	697	217

18	15	12
19	14	25
29	25	10

54쪽

① (352-14)÷13=26, 26
26×13+14=352

② 352÷15=23⋯7, 23
15×23+7=352

③ (326-4)÷23=14, 14
23×14+4=326

55쪽

① 124×4÷31=16, 16
16×31÷4=124

② 21×18+15=393, 393
(393-15)÷18=21

③ (230-14)÷24=9, 10
24×9+14=230

④ (483-7)÷14=34, 34
14×34+7=483

56쪽

① 682÷11=62
62÷11=5⋯7, 5, 7

② 817÷19=43
43÷19=2⋯5, 2, 5

③ 483+36=519
519÷36=14⋯15, 14, 15

④ 14×30+12=432
432÷12=36, 36

58쪽

① 3…6	② 3…18	③ 3…9	④ 2…20
⑤ 22…1	⑥ 26…18	⑦ 7…7	⑧ 7…23
⑨ 13…3	⑩ 29…23	⑪ 13…48	⑫ 3…39
⑬ 15…10	⑭ 9…2	⑮ 8…18	⑯ 1…66

59쪽

① 3…7	② 2…2	③ 2…8	④ 2…4
⑤ 2…12	⑥ 11…58	⑦ 13…4	⑧ 15…10
⑨ 15…11	⑩ 21…36	⑪ 17…42	⑫ 5…73
⑬ 4…3	⑭ 68…6	⑮ 1…78	⑯ 2…7

60쪽

① 2…19	② 2…1	③ 3…0	④ 2…1
⑤ 2…50	⑥ 17…6	⑦ 13…33	⑧ 21…9
⑨ 22…13	⑩ 19…18	⑪ 46…20	⑫ 30…11
⑬ 9…32	⑭ 5…42	⑮ 19…13	⑯ 9…0

61쪽

① 2…6	② 3…10	③ 2…3	④ 2…1
⑤ 98…4	⑥ 38…12	⑦ 37…3	⑧ 33…6
⑨ 4…36	⑩ 7…11	⑪ 16…44	⑫ 42…8
⑬ 1…25	⑭ 3…45	⑮ 10…20	⑯ 39…3

62쪽

① 6…5	② 3…10	③ 2…18	④ 2…1
⑤ 60…8	⑥ 39…8	⑦ 1…20	⑧ 11…43
⑨ 9…8	⑩ 8…4	⑪ 13…13	⑫ 8…52
⑬ 8…18	⑭ 16…21	⑮ 85…9	⑯ 8…36

63쪽

① 4…1	② 3…7	③ 2…3	④ 2…17
⑤ 2…75	⑥ 9…6	⑦ 17…10	⑧ 46…11
⑨ 24…13	⑩ 5…11	⑪ 33…2	⑫ 9…51
⑬ 19…25	⑭ 5…2	⑮ 3…38	⑯ 38…16

64쪽

① 2…15	② 5…7	③ 5…0	④ 4…5
⑤ 18…6	⑥ 16…3	⑦ 15…15	⑧ 55…13
⑨ 5…12	⑩ 7…45	⑪ 3…53	⑫ 19…2
⑬ 29…18	⑭ 68…5	⑮ 10…15	⑯ 11…14

65쪽

① 3…5	② 5…2	③ 7…8	④ 5…5
⑤ 10…2	⑥ 22…3	⑦ 6…18	⑧ 8…40
⑨ 38…12	⑩ 3…21	⑪ 10…51	⑫ 14…1
⑬ 11…6	⑭ 17…24	⑮ 58…5	⑯ 6…49

66쪽

① 3…3	② 2…2	③ 2…9	④ 2…12
⑤ 6…51	⑥ 11…13	⑦ 7…7	⑧ 13…14
⑨ 2…20	⑩ 5…0	⑪ 10…8	⑫ 2…16
⑬ 33…2	⑭ 10…15	⑮ 10…13	⑯ 9…57

67쪽

① 2…4	② 6…11	③ 2…5	④ 2…8
⑤ 3…53	⑥ 98…0	⑦ 9…10	⑧ 21…10
⑨ 5…50	⑩ 70…4	⑪ 75…3	⑫ 29…10
⑬ 4…14	⑭ 2…37	⑮ 7…84	⑯ 7…49

5주차 - 0으로 끝나는 나눗셈

70쪽

① 5
4, 5
5
400, 5

② 6
3, 6
6
3000, 6

71쪽

① 5, 100
4, 5, 1
400, 5, 100

② 5, 2000
3, 5, 2
3000, 5, 2000

72쪽

① 3, 3
3, 10, 30
3, 30

② 5, 2
2, 100, 200
5, 200

③ 2, 3
3, 1000, 3000
2, 3000

73쪽

① 6, 1
6, 10
6, 100

② 5, 4
5, 400
5, 4000

③ 10, 6
10, 60
10, 600

④ 10, 2
10, 20
10, 2000

⑤ 6, 3
6, 30
6, 300

⑥ 13, 1
13, 100
13, 1000

74쪽

① 5, 1
5, 10
5, 100

② 4, 1
4, 100
4, 1000

③ 17, 3
17, 30
17, 300

④ 7, 4
7, 400
7, 4000

⑤ 6, 4
6, 40
6, 400

⑥ 11, 6
11, 60
11, 6000

⑦ 8, 3
8, 30
8, 300

⑧ 8, 6
8, 600
8, 6000

⑨ 12, 3
12, 30
12, 300

⑩ 5, 1
5, 10
5, 1000

75쪽

7⋯1
30⋯1
5⋯5
10⋯6
8⋯1
4⋯3
6⋯3
13⋯4
13⋯1
9⋯3

① 5, 500
② 30, 10
③ 13, 100
④ 13, 4000
⑤ 9, 300
⑥ 8, 100
⑦ 4, 3000
⑧ 7, 100
⑨ 10, 600
⑩ 6, 300

76쪽

① 6, 1
6, 100
6, 157

② 7, 1
7, 1000
7, 1784

③ 7, 1
7, 100
7, 135

④ 8, 2
8, 200
8, 295

⑤ 5, 3
5, 300
5, 347

⑥ 12, 6
12, 6000
12, 6254

77쪽

① 5, 4
5, 400
5, 427

② 4, 7
4, 7000
4, 7467

③ 12, 1
12, 100
12, 197

④ 9, 5
9, 5000
9, 5495

⑤ 7, 1
7, 100
7, 172

⑥ 3, 2
3, 2000
3, 2354

⑦ 4, 4
4, 400
4, 446

⑧ 2, 1
2, 1000
2, 1547

⑨ 4, 2
4, 200
4, 245

⑩ 13, 3
13, 3000
13, 3543

78쪽

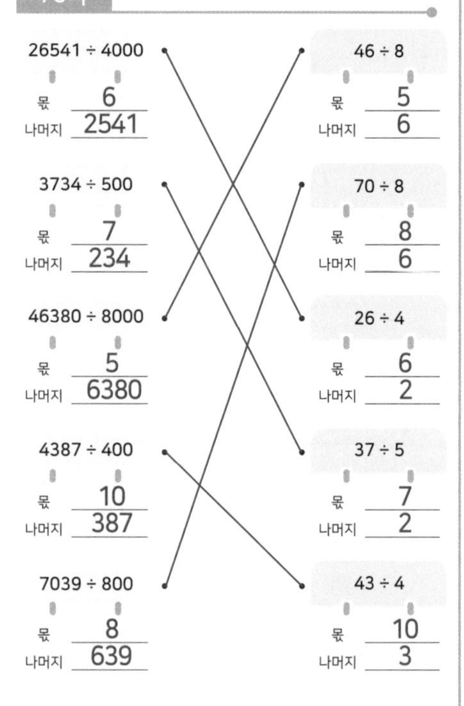

79쪽

① 19　② 5⋯400
③ 8⋯21　④ 13⋯400
⑤ 6⋯4000　⑥ 9⋯4005
⑦ 13⋯2000　⑧ 6⋯2300
⑨ 9⋯60　⑩ 13
⑪ 7⋯1047　⑫ 29⋯250

80쪽

① 14　② 5⋯54
③ 8⋯236　④ 16⋯200
⑤ 10⋯4112　⑥ 9⋯300
⑦ 9⋯2000　⑧ 6⋯4521
⑨ 8⋯205　⑩ 2⋯3000
⑪ 19　⑫ 8⋯1352

81쪽

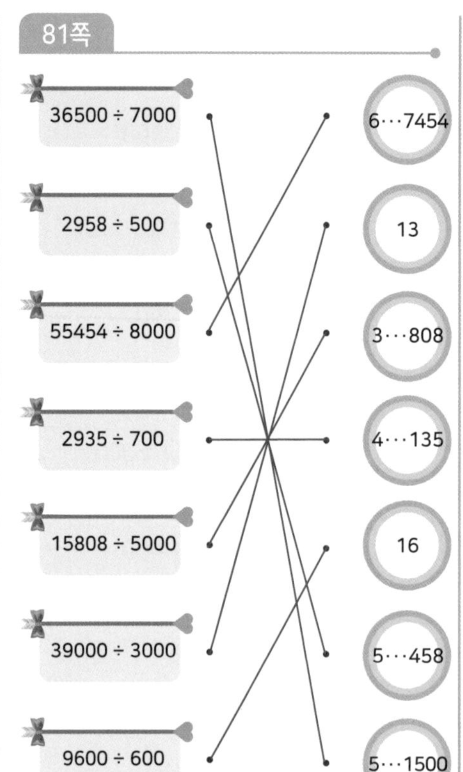

82쪽

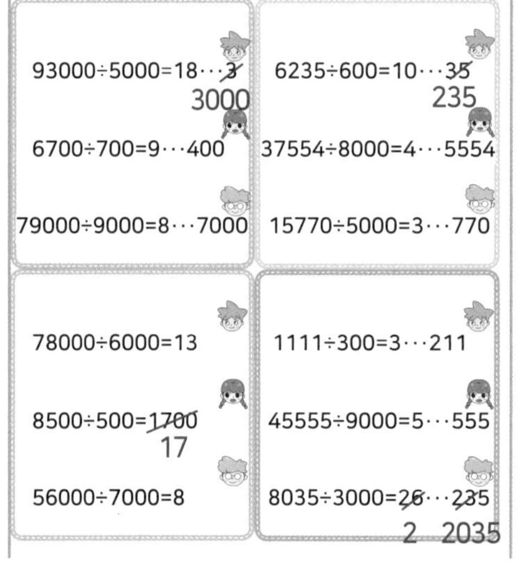

83쪽

39100÷4000 (○)	8198÷500 (△)
57055÷6000	3987÷700
2800÷500	5757÷600
84295÷9000 (○)	65365÷5000 (△)
40100÷3000 (○)	4991÷500
84011÷6000 (△)	6800÷700
81011÷9000	6525÷700
78005÷8000 (○)	6700÷300 (△)

84쪽

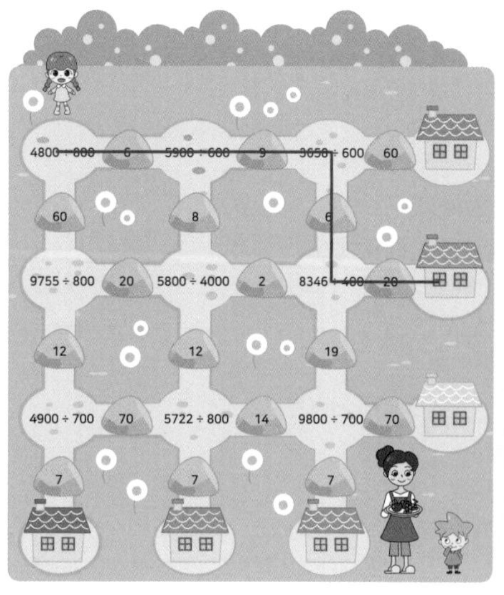

6주차 - 도전! 계산왕

86쪽

① 9　② 2⋯45
③ 12⋯2000　④ 12⋯80
⑤ 22⋯172　⑥ 19
⑦ 10⋯2000　⑧ 22⋯100
⑨ 21⋯300　⑩ 10⋯6000
⑪ 9⋯3047　⑫ 9⋯63
⑬ 2⋯854　⑭ 7⋯100
⑮ 7⋯1900　⑯ 14⋯32

87쪽

① 2…2400 ② 18…400
③ 9…65 ④ 8…7005
⑤ 6…5000 ⑥ 3…98
⑦ 3…2823 ⑧ 12
⑨ 16…2000 ⑩ 40…92
⑪ 18…100 ⑫ 8…100
⑬ 6…643 ⑭ 15…360
⑮ 12 ⑯ 4…2032

88쪽

① 14…340 ② 6…2000
③ 9…501 ④ 15…200
⑤ 7…1250 ⑥ 13…12
⑦ 5…1000 ⑧ 13…300
⑨ 13 ⑩ 20…19
⑪ 5…6769 ⑫ 8…4000
⑬ 9…800 ⑭ 15…290
⑮ 7…1120 ⑯ 17

89쪽

① 16…3000 ② 5…1000
③ 33…67 ④ 22…25
⑤ 21…40 ⑥ 3…2984
⑦ 9…600 ⑧ 16…2000
⑨ 14…114 ⑩ 13…739
⑪ 27 ⑫ 18…200
⑬ 6…2612 ⑭ 10…87
⑮ 5…4000 ⑯ 23

90쪽

① 9…100 ② 12…375
③ 8…3000 ④ 41…53
⑤ 11…5000 ⑥ 3…780
⑦ 3…500 ⑧ 11…4000
⑨ 11…13 ⑩ 17…71
⑪ 26 ⑫ 5…2
⑬ 7…771 ⑭ 9…5000
⑮ 7…5300 ⑯ 25…17

91쪽

① 4…4000 ② 22…1
③ 16…1000 ④ 27
⑤ 21…162 ⑥ 11…3020
⑦ 16 ⑧ 3…90
⑨ 11…1000 ⑩ 13…81
⑪ 3…12 ⑫ 13…2000
⑬ 7…200 ⑭ 6…35
⑮ 14…910 ⑯ 5…200

92쪽

① 20…261 ② 9…100
③ 15…1000 ④ 8…4000
⑤ 19…90 ⑥ 4…91
⑦ 8…182 ⑧ 3…2000
⑨ 36 ⑩ 13
⑪ 7…400 ⑫ 4…481
⑬ 13…10 ⑭ 15…300
⑮ 11…890 ⑯ 9…1005

93쪽

① 12…40 ② 4…381
③ 8…28 ④ 12…2000
⑤ 21…5 ⑥ 9…430
⑦ 14…500 ⑧ 9…2812
⑨ 5…1000 ⑩ 19
⑪ 7…6951 ⑫ 12…400
⑬ 3…6100 ⑭ 1…1000
⑮ 8…382 ⑯ 23…1000

94쪽

① 8…1098 ② 8…400
③ 24…100 ④ 8…4522
⑤ 13…51 ⑥ 7…300
⑦ 7…777 ⑧ 15…2000
⑨ 7…43 ⑩ 12…200
⑪ 8…1011 ⑫ 4…1005
⑬ 6…110 ⑭ 15
⑮ 2…1000 ⑯ 29

95쪽

① 11…21 ② 4…300
③ 6…400 ④ 4…301
⑤ 21…22 ⑥ 8…321
⑦ 24…200 ⑧ 29
⑨ 10…2134 ⑩ 8…4004
⑪ 5…700 ⑫ 11…326
⑬ 18…130 ⑭ 47
⑮ 9…54 ⑯ 16…900

초등 | 수학 전문가가 만든 연산 교재

원리셈

원리 이해

다양한 계산 방법

충분한 연습

성취도 확인

그 많은 문제를 풀고도 몰랐던

초등 사고력 수학의 원리 1
초등 사고력 수학의 전략 2

- 초등 사고력 수학의 원리 1
  원리는 수학의 시작
- 초등 사고력 수학의 전략 2
  문제해결은 수학의 끝

✓ **진정한 수학 실력은** 원리의 이해와 문제 해결 전략에서 나온다.

✓ **수학의 시작과 끝을** 제대로 알고 수학 실력 올리자!

✓ **재미있게 읽을 수 있는** 17년 초등 사고력 수학의 노하우

천종현수학연구소의 교재 흐름도

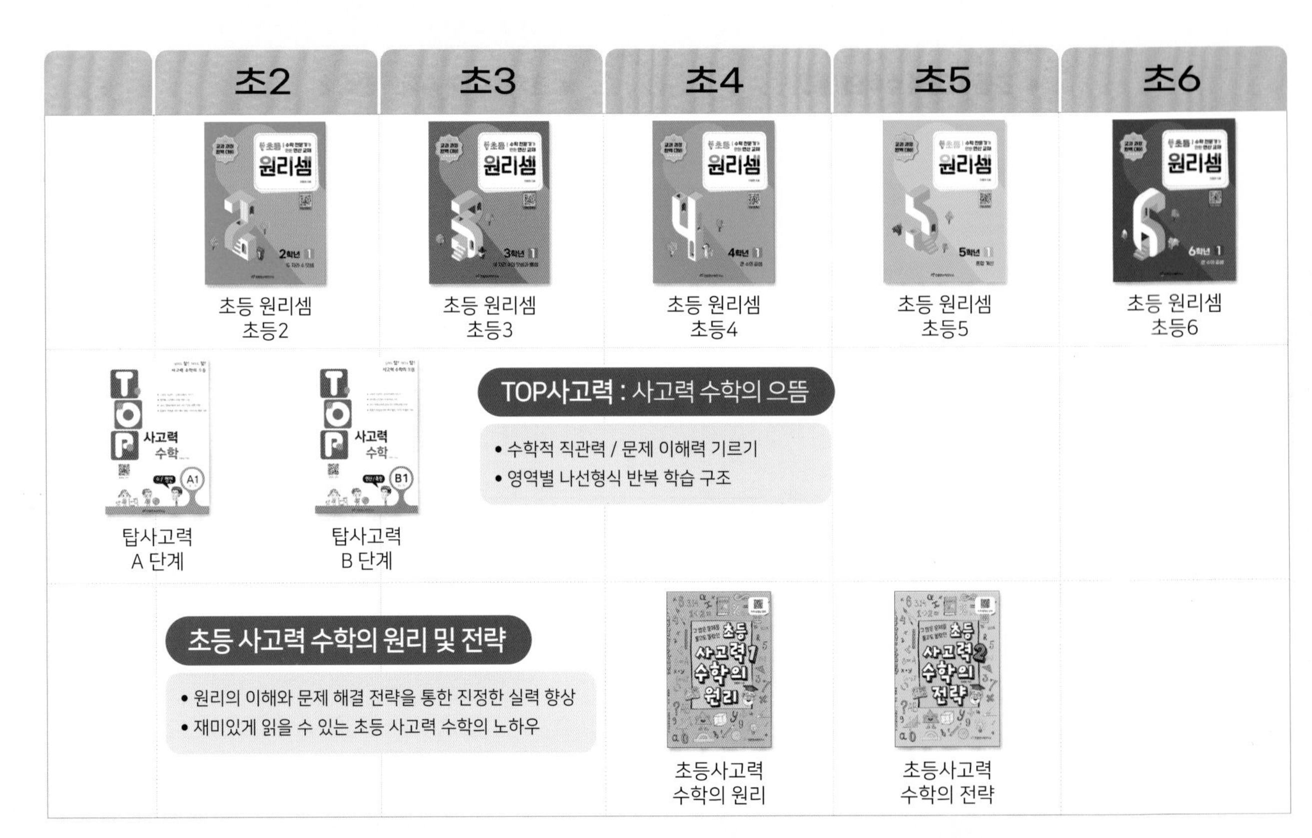